JN160742

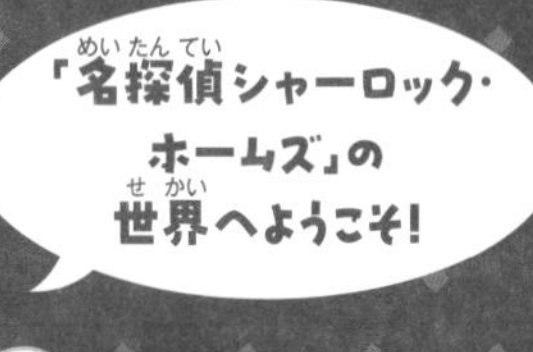
「名探偵シャーロック・
ホームズ」の
世界へようこそ!

作／コナン・ドイル
編著／芦辺 拓　絵／城咲 綾

Gakken

事件ナビ

この本に出てくる事件をしょうかいしよう!

この一本のステッキから……その事件は、始まった!!

ある日、ぼくらのベーカー街221Bに、だれかがおきわすれた一本のステッキ。このステッキ、いったい、どんな人の物なんだろう……。

ステッキの上のほうに、銀色のおびがある。何か文字も書いてあるみたい……。

真ん中のあたりに、動物にかまれたような、かみきずがあるのが、気になるなあ。

かみきず以外にも、たくさんきずがあって、ぼろぼろ。けっこう使いこんでる?

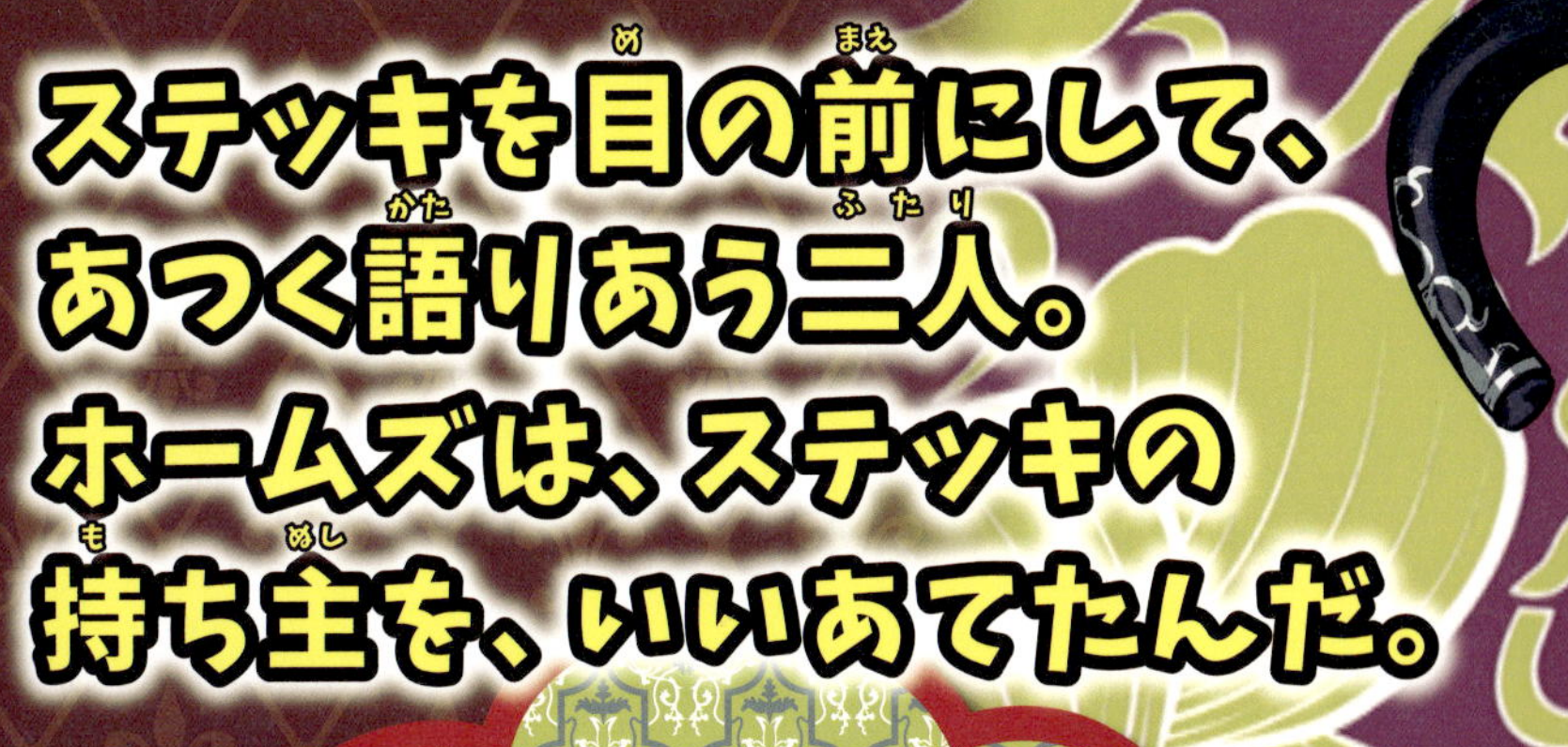
ステッキを目の前にして、
あつく語りあう二人。
ホームズは、ステッキの
持ち主を、いいあてたんだ。

ジョン・ワトスン

医者の仕事をしながら、ホームズの助手もつとめているんだ。みんなが読んでるホームズの話は、ぼくが書いているんだよ。知ってた？

シャーロック・ホームズ

だれもが知っている、イギリス、いや世界一の名探偵だ。かれはぼくとともに、たくさんのむずかしい事件を、解決してきたんだ。

バスカビルの魔犬
ステッキの持ち主は、今回の事件の依頼人!!
依頼人
ジェームズ・モーティマー
ぼく、ワトスンと同じ医師で、ちょっとおっちょこちょいだけど、かしこい人。今回の事件について、くわしく話してくれたんだ。
ステッキの持ち主、モーティマー医師がホームズに語ったのは、イギリスの名家であるバスカビル家のおそろしい伝説の物語……。その内容とは?

そして、今もつづく
バスカビル家の、
4.
夜のあれ地で見た、
あやしい光……
3.
暗い館の中を、
歩きまわる人物……
これらの出来事から
ホームズが
つきとめた
事件の真相とは？

もくじ

※この本では、児童向けに、一部登場人物の設定やエピソードを変更しております。

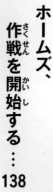

1 ベーカー街にて

「ちがうよ、ワトスン。きみの推理は、さいしょのところだけは正しいが、その先がぜんぜんだめだね。」

「なんだって、ホームズ？　ぼくの、どこがまちがっているというんだ。」

ベーカー街二二一Bの部屋で、ぼくとシャーロック・ホームズは、熱心に話をしていました。

二人の間にあるのは、一本のステッキ。たまたまぼくらが、るすのときに来たお客が、わすれていったものでした。

身なりや持ち物から、どんな人かを推理するのが、ホームズの特技なのは、みなさんもごぞんじでしょう。でも、ぼくだって、かれのやり方は、そばでずいぶん学んだつもりです。

そこへ、「きみなら、このステッキをどう考えるかね」と、ホームズがきいてきたものですから、こんなふうに推理してみせました。

「そうだな……ステッキの持ち主は、医師として長く人々のためにつくした人だと思う。だから、きっとかなり年を取った人で、このステッキは、みんなから感謝のしるしとして、プレゼントされたものだ。」

しかし、そのあとすぐホームズに、はじめに書いたようにいいかえされたのです。

「いいかい、このステッキの持ち主は、たしかに医師だが、きみのいうような年よりじゃない。もっとわかい人だよ。ここをごらん。」

なっとくできないぼくに、ホームズは、ステッキにまかれた銀色のおびを指さしました。そこには、「MRCSのジェームズ・モーティマーくんへ　CCHの仲間より」という文字が、ほってありました。

「きみは『MRCS』が、＊王立外科医学校の卒業生にあたえられるよび名だと気づいた。そして、このステッキがきずだらけなことから、かなり長く使ったと考えた。だから、このモーティマーは、ベテランの医師なんだとね。」

「そうだよ。しかも、ずいぶんりっぱなステッキじゃないか。こんなものを土地の人たちからプレゼントされたということは、よっぽどみんなのためにつくしたにちがいない。それの、どこがまちがっているというんだい？」

ぼくがいうと、ホームズはぎゃくに質問してきました。

「ほう。どうして、これが土地の人からのプレゼントとわかるんだ？」

＊王立外科医学校…現在のイングランド王立外科医師会のこと。ロンドンにあり、かん者への治療と外科技術について、最高水準のものをおしすすめることを目的とした団体。

「わかるさ。ここに『CCH(シーシーエイチ)の仲間(なかま)より』とあるだろう。クラブのC(シー)、ハンターのH(エイチ)で、これは狩(か)りの同好会(どうこうかい)さ。もう一(ひと)つのC(シー)は地名(ちめい)だな。」

ぼくが説明(せつめい)すると、ホームズはまた首(くび)をふっていいました。

「ちがうちがう。このステッキは、まだ新(あたら)しい。短(みじか)い間(あいだ)にきずだらけになったということは、道(みち)の悪(わる)い、いなかに住(す)んでいると考(かんが)えるべきだ。これは、ロンドン市内(しない)の病院(びょういん)につとめていたわかい医師(いし)が、独立(どくりつ)していなかに引(ひ)っこすとき、同(おな)じ病院(びょういん)の仲間(なかま)から、もらったものだよ。」

「なんでロンドン市内(しない)の病院(びょういん)とまで、わかるんだい。」

「CC(シーシー)はロンドンにあるチャリング・クロスという地名(ちめい)の、H(エイチ)はホスピタル、つまり病院(びょういん)の頭文字(かしらもじ)*だよ。どうだい、このほうが自然(しぜん)だろう?」

「そ、それは……。」

ぼくが言葉につまると、ホームズは、さらにこうつづけるのでした。

「それだけじゃない。ステッキの中ほどにある、このきずを、なんだと思う？」

見ると、かれの指さしたあたりに、でこぼこしたあとがついています。

「これは……何かが、かみついたあとのように見えるね。」

「そのとおり。たぶん、このステッキの持ち主の飼い犬で、この犬が

＊頭文字…英語のアルファベットなどで、文章や名前などの、さいしょの大文字。

散歩に行きたいときは、ここをくわえて、さいそくするのだろうね。歯形からすると、大きく小さくもない、[*1]スパニエル犬じゃないかな。」

「おいおい、そんなことまで、わかるのか。」

ぼくが、うたがわしそうにいったときでした。ドアの外から、キャンキャンと犬のほえる声といっしょに、ノックの音がしました。

入ってきたのは、やせて背の高い、まだわかい男の人でした。きらきらした目に金ぶちのめがねをかけ、とてもかしこそうです。しかし、身なりを気にしないのか、[*2]フロックコートもズボンもすりきれていました。

その人は、ぼくたちにあいさつするより先に、ステッキに気づくと、うれしそうな声を上げました。

「あったあった！　やはり、ここにわすれていたんですね。ああよかった、このステッキは友だちからもらった、何より大切なものですから、どうしてもなくすわけには、いかなかったんですよ。」

「あなたが、そのステッキの持ち主……医師のジェームズ・モーティマーさんですね。」

ホームズが、しずかにたずねると、男の人は答えました。

「はい、そうです。あなたが有名なホームズさんですか。ステッキが見つかったのがうれしくて、どうも、失礼いたしました。」

「ぜんぜんかまいませんが……それはお友だちからのおくりものですか。」

「はい。わたしがデボン州[＊3]のダートムーアに引っこして、自分の医院を開く前、チャリング・クロス病院につとめていたときに、プレゼントされました。」

＊1スパニエル…犬の種類の一つ。耳がたれさがり、毛足の長い猟犬の仲間。とくにコッカースパニエルを指す場合もある。＊2フロックコート…この当時の、昼間の男性用礼服で、上着のたけが長い。＊3デボン州…イギリス南部の地域。

モーティマー医師が答えると、ホームズは「どうだい」と、ぼくを見ました。ぼくは自分の推理がまちがっていたことに、にがわらいしました。

そこへ、まき毛のかわいいスパニエル犬がかけこんできて、ステッキにとびつきました。モーティマー医師はあわてて犬をつかまえると、

「こらこら、ここに入ってきちゃだめだよ。外で待っておいで。」

と、部屋の外に出してしまいました。

ホームズが、またぼくを見て、「どうだい」という顔になります。

「わかったわかった、ぼくの負けだよ。」

ぼくが小声でいうと、ホームズはうれしそうに、モーティマー医師にたずねました。

「お友だちは、なんのおいわいで、あなたにそれをプレゼントしてくれたのですか。」

「わたしの結婚をいわってです。……それがどうかしましたか？」

モーティマー医師は、ふしぎそうに、ききかえしました。ぼくは、にやっとわらいながら、ホームズに、そっといってやりました。

「おやおや、一つだけはずれたね。」

すると、ホームズは、ざんねんそうに口をつぐみましたが、そのあとすぐに、こういいました。

「それでモーティマーさん、ここへはどんなご用で来られたのです？」

モーティマー医師は、大事なことを思いだしたようにハッとして、

「おっと、そうでした。じつは、わたしが医師の仕事をしているダートムーアでおそろしい事件があり、ホームズさんに相談に来たのです。」

と、しんこくな顔でいいました。

「ほう……それは、どんな事件ですか。」

ホームズが目配せ*をしたので、ぼくはノートとペンを用意しました。

そのあとモーティマー医師が話しはじめたのは、二百年も前の、世にもおそろしい出来事でした……。


*目配せ…目と目で合図をしあうこと。目つきで知らせること。

2 ヒューゴー・バスカビルと魔犬

それは一六〇〇年代の半ばごろ、国王のチャールズ一世が、強引な政治を行ったために、イギリスは、あれにあれていました。

国じゅうが、王様につく側と、反対する側に分かれてあらそい、とうとうチャールズ一世は、国王の位から引きずりおろされました。

そのせいで、法律も何もあったものではなく、とくにロンドンから遠くはなれた地方では、力のある者が、勝手なことばかりしていたのです。

ダートムーアの領主、ヒューゴー・バスカビルも、そうでした。悪い仲間を集め、村人にらんぼうするなどの悪事をしていました。

このヒューゴーが、地元の農家の美しいむすめに恋をしたから、たまりません。むすめは清らかな心の持ち主で、悪人のヒューゴーのことなど大きらいでしたから、相手にもしませんでした。

そこでヒューゴーは、むすめの家におしかけ、いやがるかのじょを、さらっていきました。そして、自分の館の上の階の部屋にとじこめると、自分は仲間の男たちと酒を飲み、大さわぎを始めたのです。

ヒューゴーは美しいむすめを手に入れたことを、じまんしたくてたまらず、仲間の男たちにこういいました。

「どれ、みんなにも、どんなすばらしい美人か見せてやろう。ついでに、ここへつれてきて、お酒でも、つがせようではないか。」

そして、男たちと階段を上がり、部屋のかぎを開けました。するとど

うでしょう、中は、もぬけのから。むすめは、どこにもいませんでした。のこっていたのは、むすめのハンカチ一まい。いったいどこへ消えたのか？　そのわけは、月光がさすまどをのぞいて、すぐわかりました。バスカビルの館のかべは、ツタにおおわれていました。むすめはゆうかんにも、そのつるをつたって、下までおりていったのです。

「むすめめ、にげおったか！　ええい、決してにがすものか。何がなんでもつかまえてやる。たとえ、悪魔の力をかりてもな！」

ヒューゴー・バスカビルは、かんかんにおこってさけびました。

むすめの行き先は、自分の家に決まっています。そこまでは十五キロあり、「あれ地」とよばれる、何もない野原がつづいているだけなので、馬で追いかければ、すぐつかまえられるはずでした。

ヒューゴーは、自分の館で飼っている何びきものりょう犬に、むすめのハンカチのにおいをかがせて、外に放ちました。そのあと自分も愛用の黒い馬に乗り、もうれつないきおいで、あれ地へと走りだしたのです。その人のこされた男たちも、あわててヒューゴーを追いかけました。その人数は、*不吉とされる十三人でした。

ところが、行けども行けども、ヒューゴーは見つかりません。とちゅう、出くわした羊飼いにきくと、ひどくおびえて、こう答えたのです。

「は、はい。たしかに必死でにげていくむすめと、それを追う犬たちを見ました。少しおくれて黒い馬に乗ったバスカビルさまが、かけていったのですが……そのすぐあと、おそろしいものを見たのでございます。」

それはなんだ、と問いつめると、羊飼いはますますおびえて、

「化けもののように大きくて黒い犬が、バスカビルさまを追っていったのでございます。あれは地獄から来た犬に、ちがいありません！」

と、いったのです。それを聞いた男たちは「そんなことが、あるものか」と、さらに馬を走らせたのですが、かれらは、間もなく思いがけないものを見ました。

*不吉…えんぎの悪いこと。よくないことが起こりそうな気配があること。また、そのさま。

ヒューゴーの黒い馬が、だれも乗せずにもどってきたのです。足取りもおかしく、口からは白いあわをふいて、明らかにようすがへんでした。それを見た男たちが、さらに馬を進めて着いたのは、深い谷の入り口。なんと、そこではヒューゴーのりょう犬がうろうろしたり、おびえて鳴いたりしています。

十三人の男たちは、何が起きたのかと、こわくなってしまいました。しかし、その中でも、とくに命知らずの三人が谷へ入りました。道を下るにつれ、がけは高くなり、やがて小さな広場のようになった場所に出ました。

それは、ふしぎなけしきでした。きらきら光る月にてらされ、大昔の人間が家にしたという石づみが、ずらりとならんでいます。

そこで三人の男は、おそろしさに動けなくなってしまいました。

かれらが見たのは、地面に横たわりぴくりとも動かない、むすめのあわれなすがたでした。犬に追われてにげるうち、がけから落ちたのです。

なんと、ざんこくなことでしょう。

そのそばには、かのじょをそんな目にあわせた、ヒューゴー・バスカビルが、同じように死んでいました。

これだけなら、男たちはおどろき

はしても、おびえることはなかったでしょう。ですが、かれらは見てしまったのです――ヒューゴーの死体にのしかかり、ガブガブと、のどをかみくだいている、巨大な黒い犬を！

いや、こんな犬が、この世にいるでしょうか。まるで魔物のような犬、魔犬です。羊飼いがいったように、地獄から来たのかもしれません。

その犬が、ふと顔を上げ、ゆっくりと男たちをふりかえりました。

ああ、そのギラギラかがやく目、ナイフのようにするどいきば！　とたんに三人の男たちはふるえだし、悲鳴を上げながら、にげだしました。

そのうち一人は、恐怖のあまり、その夜のうちに死んでしまい、あとの二人も病人のようになって、のちの一生をすごしたといいます。

こうして、なんの罪もないむすめをさらったうえに、死なせてしまっ

たヒューゴー・バスカビルは、その悪事のむくいで、むざんな死をとげました。

けれども、それだけではすまなかったのです。その後もバスカビルの館には次々とぞっとするようなことが起きて、一族のものが不幸にみまわれました。

とくに一家の主人となったものは、かならずといっていいほど、おそろしい最期をむかえるといわれました。それをふせぐためには、つつしみぶかくくらし、よいことをたくさんするしかないというのです。

そして、日がくれたら、あのあれ地に決して入ってはならない。

なぜなら、そこにはヒューゴー・バスカビルをおそったような魔犬が、今もいる、というのですから……。

3 チャールズ・バスカビルの変死

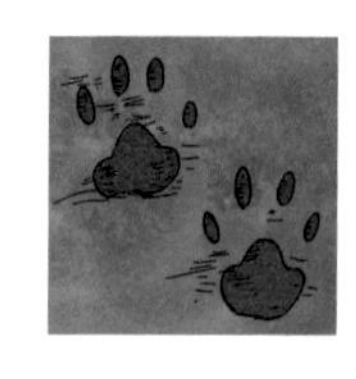

「……というような話が、今も、ダートムーアのバスカビル家には、つたわっているのです。いかがでしょうか、ホームズさん。」

モーティマー医師は話を終えたあとで、ぼくたちを見つめました。

ぼくは、あまりにきみょうな話に、とっさには返事もできませんでした。ホームズは、というと、あくびをしながら、こういうのです。

「まあ、お話としては、おもしろくないこともないですね。ですが、なぜこんな伝説を、ぼくたちに聞かせたのですか。いくらぼくでも、そんな大昔の事件は、どうしようもありませんよ。」

ぼくも、それはもっともだと思いました。

けれど、モーティマー医師は、ポケットから新聞を取りだすと、思いがけないことをいいだしたのです。

「はい、それにはちゃんとわけがあるのです。というのは……最近になって、バスカビル家の伝説そのままの、世にもおそろしい事件が起きたのです！」

そのしゅん間、ホームズの目が、きらりと光ったようでした。

「ほう、いったい何があったというのです？」

新聞記事によると、それは次のような事件でした。

――ダートムーアのバスカビル家は、今から二年前に、ヒューゴーの子孫のチャールズという人があとをついで、館の主人となりました。チャールズは、*1南アフリカで事業に成功し、イギリスに帰りました。そのお金で、落ちぶれていたバスカビル家を立てなおしたのです。

かれのおくさんは早くに亡くなっていて、バリモアという*2執事と、その妻とともにくらしていました。チャールズの楽しみといえば、散歩ぐらいでしたが、今から三か月前、とんでもないことが起きたのです。

執事のバリモアが、夜十時になって、主人がいないのに気づきました。開けっぱなしのげんかんから出てみると、雨あがりの地面にくっきり足あとがついており、それは、いつもの散歩コースに向かっていました。

その散歩コースの先には、あれ地に通じる木戸があり、それも開いていました。いやな予感がしたバリモアが進んでいくと、なんとその先に主人がたおれていたのです。両手を広げ、地面にうつぶせになって……。バリモアは、あわててかけよりましたが、もう息はありませんでした。チャールズ・バスカビルは死んでいたのです。そして、かけつけた人たちは、みんな、おそれおののかずには、いられなかったのでした……。

「あのとき、地元の医師であるわたしも、館にかけつけたのですが、チャールズ・バスカビル氏の死体をだきおこしたときのことは、わすれられません。ふだんとは別人のような顔で、口もあんぐり開いて、よほど苦しく、おそろしいことがあったとしか考えられませんでした。ただ、

＊1南アフリカ…現在の南アフリカ共和国のこと。アフリカ大陸の南のはしにある国。
＊2執事…身分の高い人などの家で、主人に代わって仕事を行う役目。また、その役目の人。

かれの死体をいくら調べてみても、きずは、どこにもなかったのです。

地面にのこっていたのは、チャールズ氏と執事のバリモアの足あとだけ。つまり、かれに近づいた者は、だれもいなかったことになりま

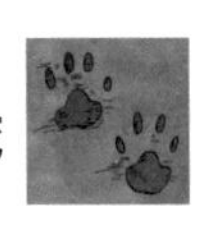

す。ただ、あれ地へ出る木戸のあたりから足あとがみだれ、いったんそこで立ちどまったあと、急にかけだしたのでは、と思われました。かれは心臓の病気で、近ごろは具合が悪かったのです。ですから、とつぜん発作をおこして亡くなった、としか考えられませんでした。」

モーティマー医師は、そうつけくわえて、話をしめくくりました。

「なるほど、それでチャールズ氏は病死ということになったのですね。あなたは、自分の診断が正しいものと信じていますか？」

ホームズがするどくたずねると、モーティマー医師は「はい、もちろん」と、小さな声で答えました。

「それでは、かれの死には、なんのあやしい点もなかったわけですね。」

「はい、いえ……ただ、一つだけきみょうなことがありました。」

モーティマー医師は、あせをふきながら答えました。

「なんですか、そのきみょうなことというのは。」

「足あとです。」

「足あと？　あなたは、執事のバリモア以外には、チャールズ氏本人の足あとしかなかったと、いいませんでしたか。」

「はい……しかし、チャールズ氏の死体から少しはなれて、だれのものでもない足あとがついていたのに、わたしは気づいてしまったのです。」

「だれのものでもない足あと、ですって？」

ホームズがききかえし、ぼくも思わず顔を上げました。

「はい……おそろしく大きな犬の足あとが……。まるで、バスカビル家の伝説に出てきたような魔犬が、またあらわれたかのように！」

4

黒いあごひげの男

このふしぎな話には、さすがのホームズも心を動かされたようでした。

「ふーむ、かつてヒューゴー・バスカビルをおそった魔犬が、またあらわれた、と。で、あなたはぼくに、その魔犬をたいじしろというのですか。」

「い、いいえ、そういうわけではありません。」

「ならばどうしろと？　事件から三か月もたった今になって？」

すると、モーティマー医師は、時計をちらりと見て、こう答えました。

「じつはチャールズ氏の死後、アメリカにヘンリー・バスカビルという親せきが見つかりまして、かれがもうすぐロンドンに着くのです。」

「そのヘンリー氏が、バスカビル家のあとをつぐのですか。」

「はい。バスカビル家は、ダートムーアになくてはならないものですし、あの館を、主人がいないままには、しておけませんしね。」

モーティマー医師の言葉に、ホームズの目が、するどくなりました。

「なるほど、それであなたは、新しく館の主人になるヘンリー・バスカビル氏にも、何かよくないことが起きるのではないかと、心配しているのですね。チャールズ氏や、先祖のヒューゴーのように。」

「はい……そんなことは、あってはならないことですが。」

「ダートムーアの伝説に出てくる魔犬に、ヘンリーもおそわれる、と?」

ホームズにきかれて、モーティマー医師は、首をふりました。

「いえ、それはわかりません。ただ、あんなことをくりかえしたくないのです。もしも、不幸をまねく原因がどこかにあるなら、それをつきとめて、取りのぞいてほしいのです。どうでしょう、ホームズさん。」
そうたのまれて、ホームズは、少し考えてから答えました。
「わかりました。引きうけましょう。で、そのヘンリー・バスカビル氏は、ロンドンのどこのホテルにとまるのですか。」
「ノーサンバーランド・ホテルです。」

モーティマー医師は、ほっとしたようすで、いいました。


よく日、ぼくとホームズは、ヘンリー・バスカビルに会うために、ノーサンバーランド・ホテルに向かいました。そのとちゅう、ホームズが、

「ちょっと急ごうか」というなり、走りはじめました。

ぼくはあわてて、かれのあとを追ったのですが、そのとたん、

「止まれ！」

今度は、そうさけんで、いきなり立ちどまったのです。

「いったい、何事だい。」

ぼくがびっくりするやら、あきれるやらして、そういったときでした。

一台の*つじ馬車が、ぼくたちのそばを通りすぎました。そのまどの中に、

黒いあごひげを生やした男の顔が見えたとき、ホームズがさけびました。

「よし、今だ！」

そして、ぼくの手を引っぱり、わき道にかけこみました。ヒヒーンという馬の鳴き声とともに、馬車が急にストップした音がしました。

「馬車番号二七〇四か。あとで調べておこう。」

ホームズが、にやっとしながらいいました。ぼくはそのときはじめて、何者かが、馬車でぼくたちのあとをつけていたことを知ったのです。

「モーティマー医師は、ヘンリー・バスカビル氏がダートムーアに行ったら、よくないことが起こるのではと心配していたが、このロンドンでも安心とはいかないようだね。いよいよおもしろくなってきたぞ。」

ホームズの言葉には、決心とファイトがみちていました。

＊つじ馬車…前もって、決められた道ばたで乗客を待ち、目的地まで運んで代金をもらう馬車。

5 ヘンリー・バスカビルの登場

ヘンリー・バスカビルは、わかくてたくましい、きびきびした感じの人でした。*ツイードという、赤い色の毛おりのジャケットを着ています。

ヘンリーは、モーティマー医師から、ぼくらをしょうかいされると、

「やあ、あなたがホームズさんですか。モーティマー先生から、あなたの話を聞いたときには、そんなに心配することはないと考えていたんですが、どうやら、その判断はまちがいだったようですよ。」

いきなり、そんなことをいいだしました。

「それは、どういうことですか。」

ホームズがきくと、モーティマー医師が説明してくれました。

「じつは……このホテルに、こんな手紙がとどいたのです。」

ひどく不安そうな顔をしながら、わたされたのは一通のふうとうでした。かすれて読みにくい字で、「ノーサンバーランド・ホテル、ヘンリー・バスカビル様」と、あて名が書いてあります。

ふうとうの中には、手紙が一まい入っていました。見てびっくりしたことに、それは印刷した何かの文字を切りぬいて、はりつけたものでした。

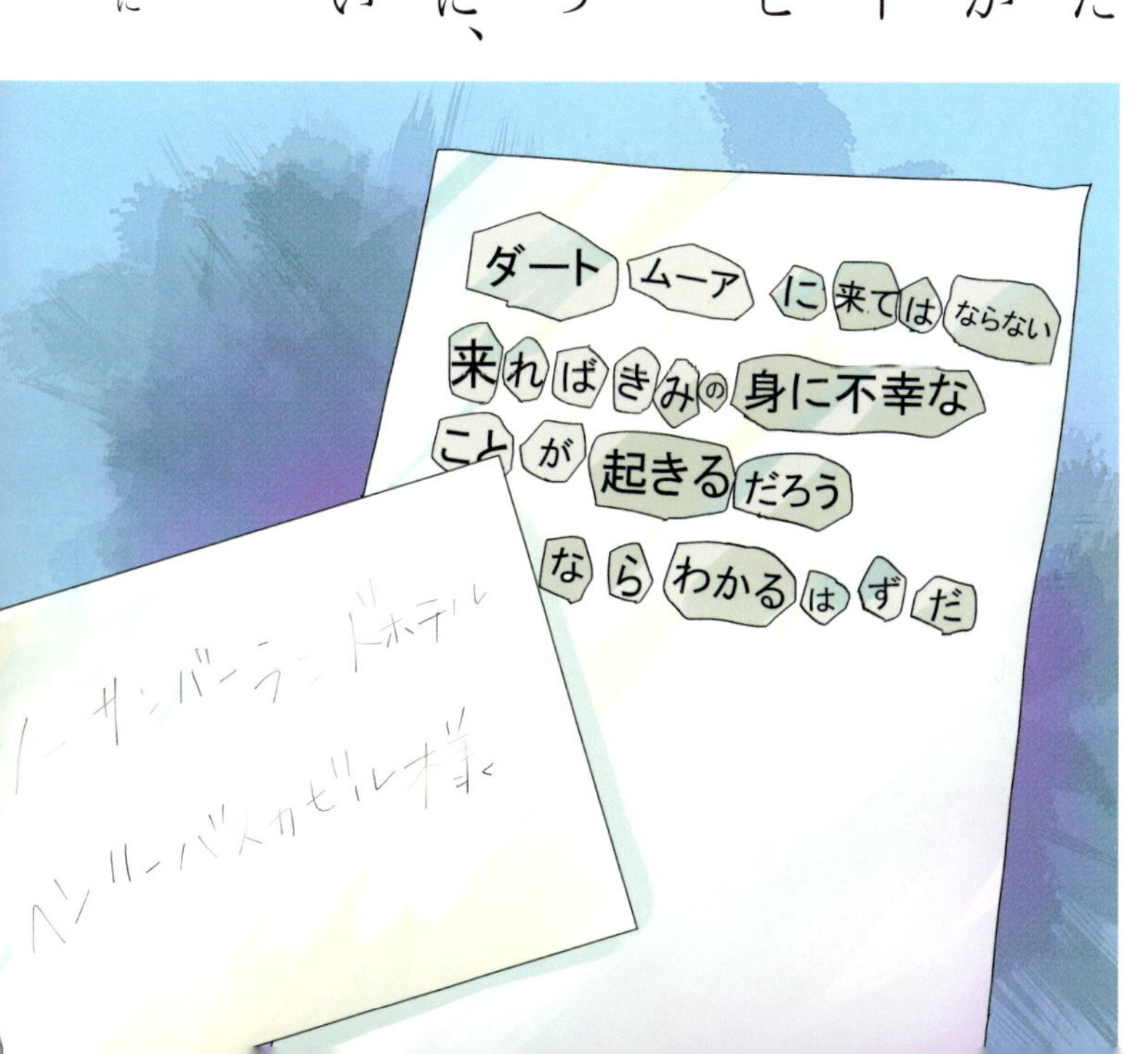

＊ツイード……太い羊毛でできた毛糸を使って、目のあらい織り方にした生地。

――ダートムーアに来てはならない。来れば、きみの身に不幸なことが起きるだろう。かしこいきみなら、わかるはずだ。

しかも、その内容というのは、こんなおそろしいおどし文句でした。幸いヘンリーは気の強い人らしく、モーティマー医師のようにおびえるのではなく、こんな手紙が来たことを、おこっているようでした。

ホームズは、というと、ほかの人たちとはたいどが、ちがっていて、
「ふむ、これは、つい最近の『タイムズ』から切りぬいたものだな。」
手紙を見つめながら、ロンドンでいちばん有名な新聞の名を、つぶやきました。そのあと、ホテルの人に「タイムズ」を持ってきてもらうと、

まわりのぼくたちに説明するように、こういいました。

「こんなふうに新聞を切りぬいて文を作るのは、*1筆せきでだれが書いたか、わからないようにするためでしょう。でも、そうかんたんには、いかないのですよ。」

「どういうことだい？」と、ぼくは、たずねました。

「新聞社ごとに使う字がちがうからだよ。とくに『タイムズ』はとくべつな*2書体を使っているからね。……ほら、きのうの記事に『ダート』『ムーア』『身に不幸な』という言葉がある。文字や単語一つ一つを切りぬくのはめんどうだから、うまくつながった部分を利用したんだ。」

「そんなことまで、わかるんですか。」

ヘンリー・バスカビルが、感心したようにいいました。


*1筆せき…手書きの文字や、その書き方、くせ。

*2書体…文字のいろいろな書き方。字の形。ここでは印刷に使う文字の形の種類のこと。

「ええ、ぼくはあらゆる新聞を研究していますから。さらにこの手紙を送った人間は、遠くからロンドンに来て、ホテルにとまっていることも、わかりますね。」

「どうして、もともとロンドンにいた人間ではないと、わかるんだい。」

ぼくがきくと、ホームズは待ってましたとばかりに、

「ほら、このふうとうのあて名は、ずいぶんかすれている。これは、すりへってゆがんだペンと、古くて水気のないインクで書いたせいだよ。ホテルなどのそなえつけのものに、よくあることだ。もともとロンドンにいるなら、自分の家のよく書けるペンを、使えばいいのだからね。」

すらすらと、推理を語って聞かせました。ヘンリー・バスカビルは、すっかり感心していましたが、ふと何か思いだしたようにいいました。

「それなら、もう一つのきみょうな出来事についても、ホームズさんに、相談してみたいのですが……。」

「きみょうな出来事、とは？」と、ホームズがきくと、ヘンリーはいいました。

「このホテルで、くつを持っていかれたんですよ。ロンドンに着いて、とてもいい茶色のくつを買ったんですが、店の人が『はく前にみがくといいですよ』というので、ろう下に出したんです。ところが……。」

イギリスのホテルの多くでは、自分の部屋のドアの前のろう下に、くつを出しておくと、みがいてくれるサービスをしています。

「けさ見たら、くつがかたほう、なくなっているじゃありませんか。ホテルのボーイ*にさがすようにいったのですが、見つからないんですよ。しかたがないので、前にはいていた黒くて古いくつを使っています。」

「かたほうだけですか、へんな物とりですね。」

ぼくが首をかしげたとき、ドアにノックの音がしました。

開けてみると、それはホテルのボーイでした。かれが茶色のくつの、かたほうを持っているのを見て、ヘンリーはよろこびの声を上げました。

「ぼくのくつだ！　ああ、よかった。せっかく気に入っていたのに、ざんねんに思っていたんだ。これはどこで見つかったんだい？」

そうたずねると、ホテルのボーイは、ふしぎそうな顔でいいました。

「それが……ろう下のすみにおいてあったのです。お客さまがくつがないとおっしゃって、さがしたときには、なかったはずですが……。」

すると、そいつは、せっかくとっていった物を、また返しに来たことになります。ずいぶんへんな物とりがあったものですが、ヘンリー・バスカビルは、くつさえもどれば、どうでもいいらしく、こういいました。

「いいよもう。せっかく返ってきたのだから、大切にしなくちゃね。……そうだ、この茶色のがなくなったから、またはかなきゃと思って、外に出しておいた黒くて古いくつは、みがいておいてくれたかい？」

それを聞くと、ホテルのボーイは、ますますふしぎそうな顔になりました。いったん部屋を出ると、すぐもどってきて、

＊ボーイ……レストランやホテルなどで、客の案内をしたり、世話などをする男性。

「あのう、お客さまがおっしゃるのは、このくつのことでございますか。ろう下に一つだけのこされていた……」と、いったのです。

かれは、使いこまれた黒いくつを、かたほうだけ持っていました。

「なんだって、またかたほう持っていかれたのか？」

ぼくたちは、ろう下にとびだしましたが、そこには何もありません。

あとからゆっくりもどってきたホームズが、わらいながらいいました。

「おやおや、せっかくとっていった新品を返して、代わりに使い古しのくつを持っていくなんて、ふうがわりな物とりもいたものですね。それとも茶色はきらいで、黒いほうがこのみだったのかな。」

すると、ヘンリー・バスカビルは、ぷりぷりとおこっていいました。

「じょうだんをいってる場合じゃありませんよ。まったく、ここはなん

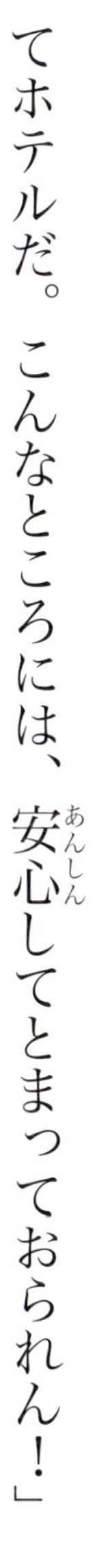

てホテルだ。こんなところには、安心してとまっておられん！」

「ホテルのせいではありませんよ。ねらいは、あなたなのですから。」

ホームズがしんけんな顔でいったとたん、ヘンリー・バスカビルもモーティマー医師も、ハッとした表情になりました。

「するとホームズさん、ひょっとして、これも……？」

モーティマー医師が、おずおずと、たずねました。

「そう、この手紙と同じ人間のしわざでしょう。あなたにバスカビル家をついでほしくない者がいるのです。そこで、うかがいたいのですが。」

「なんでしょう、ホームズさん。」

「あなたは、これでもダートムーアに行きますか。明らかに、あなたをじゃましたい者がいるとしても、です。」

「行きますとも。先祖がのこしてくれたものを、むだにはできません。」

ヘンリー・バスカビルは、きっぱりと答えました。

「わかりました。では、ぼくも全力で、あなたをお守りしましょう。」

ホームズは大きくうなずき、いいました。ヘンリーはうれしそうに、

「では、あなたもいっしょにダートムーアまで行ってくれるのですね。」

そういいましたが、ホームズはあっさりと首をふりました。

「あいにくぼくには大事な用事があって、しばらくロンドンをはなれられません。代わりに、こちらのワトスン博士に行ってもらいます。」

「なるほど……って、ええっ!?」

あまりにもとつぜんの話に、いちばんびっくりしたのは、ぼくでした。

これは、たいへんなことになったぞと、あわてるぼくの耳に、ホームズとモーティマー医師の、こんな会話が聞こえてきました。

「ところでモーティマーさん、ダートムーアの人間で、黒いあごひげを生やした男に、心当たりはありませんか。」

「黒いあごひげ……ああ、それなら、バスカビル家の執事、バリモアがそうですよ。それが、どうかしましたか。」

モーティマー医師は、ふしぎそうに答えました。

「ああ、そうですか。それなら、おねがいしたいことがあります。バスカビルの館に、*電報を打っていただきたいのです……。」

ホームズは、何げなくいいましたが、ぼくはどきりとしました。黒いあごひげの男！　それは、ぼくたちをつけていたやつのことに、ちがいありません。

そして、バリモアといえば、チャールズ・バスカビルの死体の発見者であり、やがてはヘンリーにつかえるはずの人物ではありませんか……。

＊電報…電気による信号で送る通信。また、その文章。

6 馬車番号二七〇四

そのあと、ぼくたちはノーサンバーランド・ホテルを出ました。モーティマー医師とわかれ、二人で向かったのは近くのメッセンジャー*会社でした。ここでは、たくさんのメッセンジャーボーイをやとって、市内のあちこちに品物や手紙をとどける仕事をしています。

＊メッセンジャー…伝言や手紙、電報、書類、品物などを配達する人。

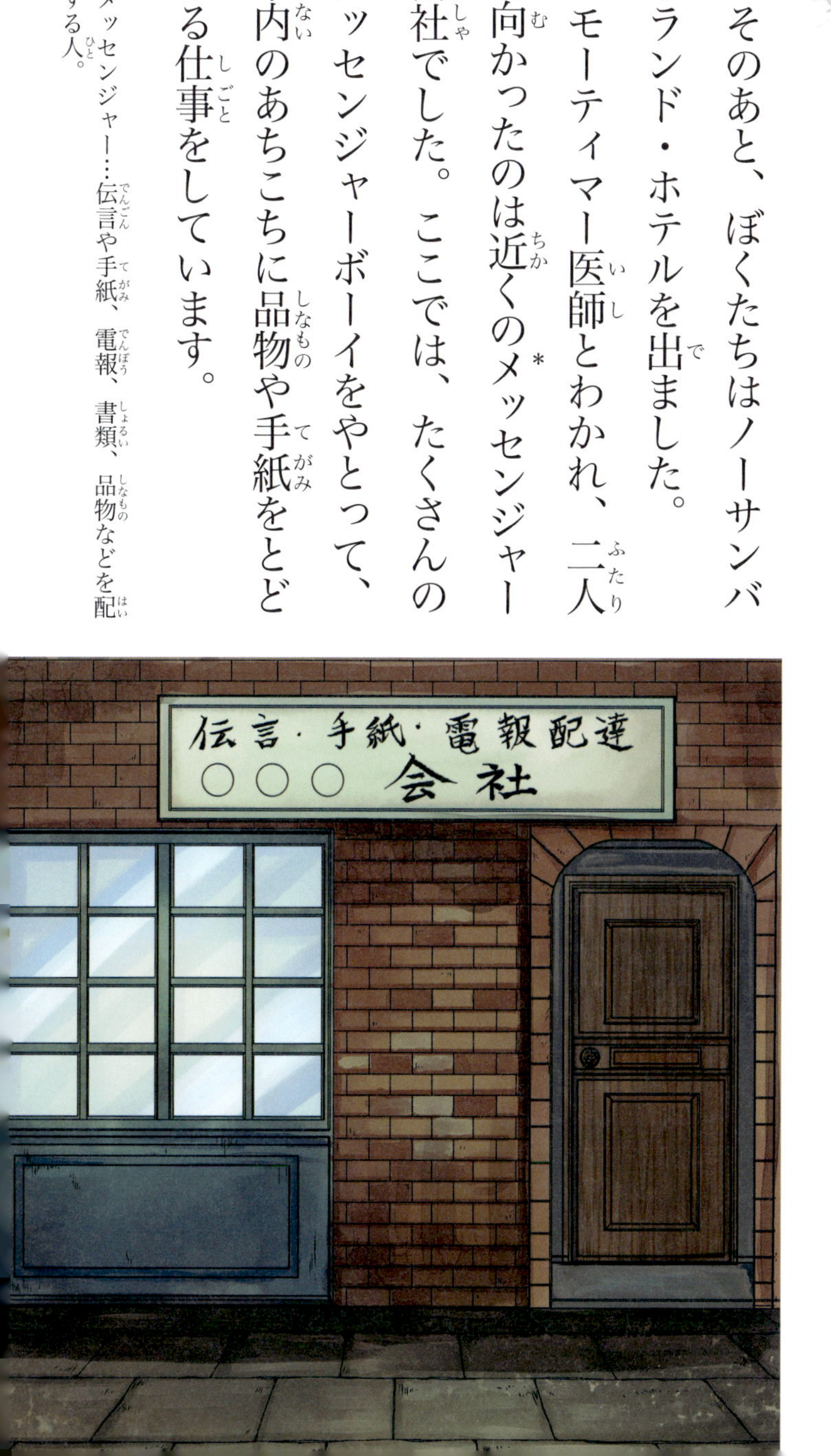

そこの支配人は、ホームズを見るなり、あいそうよくたずねました。

「これはおひさしぶりです、ホームズさん。今日はどんなご用事で？」

「ちょっととくべつな仕事をたのみたくてね。この近くにあるホテルのリストを見せてくれないかな。それと、前に、とても役に立ってくれたカートライトくんという子がいたが、かれはいるかね？」

「いますよ。おーい、カートライト、おまえのそんけいする探偵さんから、ご指名で仕事の依頼だよ！」

支配人がよぶと、十四歳くらいの、かしこそうな制服すがたの少年が走ってきました。

「やあ、今日はこみいった仕事をたのみたいんだが、いいかな？」

「はい、ホームズ先生。ぼくにできることなら、なんでもどうぞ！」

カートライト少年の答えに、ホームズはにっこりとほほえみました。

「おお、たのもしいね。まず、このリストにのっているホテルを回って、げんかん番にお金をわたし、『大事な電報をまちがってとどけたから、ごみ箱をさがさせてください』とたのむんだ。すると、係をしょうかいしてくれるはずだから、そっちにもお金をあげて、紙くずを調べさせてもらう。ただし、さがすのは電報じゃなく、『タイムズ』の、この記事だ。それも、あちこち切りぬいたものをね。どうだい？」

「はい、わかりました！」

「ホテルを全部回って、見つからなくてもかまわない。ほら、これがホテルの人にわたすお金だ。きみへのお礼は、もちろんべつだよ。」

たくさんのお金をわたしながら、ホームズがいいました。

「ありがとうございます。では、行ってきます！」

カートライト少年は、ぐいっと帽子をかぶりなおすと、風のようにかけだしました。その後ろすがたに向けて、ホームズがさけびました。

「報告を楽しみにしてるよ、カートライトくん！　さて……子どもがあんなにがんばってるんだから、ぼくら大人も、はたらかなくちゃな。」

「まったくだ。で、どこへ行く？」

ぼくがきくと、ホームズはいいました。

「つじ馬車の管理組合だ。馬車番号二七〇四のぎょ者*に会って、どんな男にやとわれて、何をしたかをたずねるんだよ。」

二七〇四番の馬車のぎょ者は、クレイトンという男でした。


*ぎょ者…馬をあやつり、馬車を動かす人。

「へえ、わしをやとったのは、黒いあごひげを生やした男でね。それ以外は、よくおぼえてないが……。『一日かしきりにするから、いうとおりに馬車を走らせろ』というので、いろんなところを回りましたよ。……あれっ、そういえば、あんた方二人のあともつけましたよ。」

クレイトンは、ぼくとホームズを指し、びっくりしていいました。

「おや、おぼえていたのかい。」

ホームズがわらっていうと、クレイトンはうなずきました。

「そりゃ、おぼえていますよ。急にいなくなったので、黒いあごひげの男が、ずいぶんあわてていましたっけ。」

「ぼくたちのほかに、あとをつけた相手はいるかい？」

「へえ、金ぶちのめがねをかけて、ひょろりとした男の人をつけるよう

いわれました。たしか、銀色のおびつきのステッキを持っていました。それからノーサンバーランド・ホテルにとまっている、がっちりした、赤っぽい服を着たわかい男も、追いかけましたっけ。」

クレイトンの答えを聞いて、ぼくは思わずつぶやきました。

「モーティマー医師と、ヘンリー・バスカビルさんのことだ……。」

「どうやら、そうらしいね。それから、その男はどうしたね？」

ホームズが、クレイトンにたずねました。

「へえ、さんざん馬車を走りまわらせたあと『ウォータールー駅へ行け』といわれて、そこでおりてしまいました。あの駅から汽車に乗ったんでしょう。……そういえば、あの男、おかしなことをいってましたよ。」

「何をいったんだい？」

「へえ……『こんな仕事をたのんで、さぞかしへんだと思っただろうね。じつはわたしは探偵なのだ。ひみつの仕事だから、人にいってはこまるが、あんたには世話になったから、わたしの名前を教えよう』とね。」

ホームズが「それで？」ときくと、クレイトンは答えました。

「はい……『わたしはシャーロック・ホームズだ』と。」

それを聞いて、ぼくたちはあっけにとら

れました。そのあと、つじ馬車の管理組合を出ましたが、しばらくしてからホームズは、わらいながらいいました。

「ふむ、相手はただ者ではないね。べつべつにロンドンに来たヘンリー・バスカビルとモーティマー医師が、どこで何をするかを知っていた。さらに、ぼくの行動も見ぬいていたし、ぎょ者にたどりつくのも予想していた。だから『シャーロック・ホームズだ』と、名乗ったんだよ。」

「なるほど、とんでもないやつだね。で、このあとどうする？」

「とりあえずベーカー街にもどろう。この事件についての手がかりは、あと二つある。それらが、ぼくらの元にやってくるのを待とう。」

ホームズは、よゆうたっぷりに、ぼくにいうのでした。

7 カートライト少年の報告

ベーカー街二二一Bの部屋にもどって、しばらくすると、メッセンジャー会社のカートライト少年が、すがたをあらわしました。
「お待ちどおさまでした、ホームズ先生！　おいいつけどおり、全部のホテルを回ってきましたよ！」
あれから二十けん以上のホテルでごみ箱を調べるという、たいへんな仕事をしたあとだというのに、つかれたようすもありません。ただ、それにしては、表情が暗いのが、気になりました。
「それで、どうだった？」

ホームズがきくと、カートライト少年は、ざんねんそうに答えました。

「だめです。先生がおっしゃったような新聞は見つかりませんでした。」

新聞が見つかれば、あの手紙のさしだし人がホテルにいたことになり、その正体がわかったかもしれません。しかし、その期待ははずれました。

「いや、きみは、よくやってくれた。探偵の仕事というものは、いつも手がかりが見つかるものじゃないんだよ。ご苦労さまだったね。」

ホームズが明るくいうと、カートライト少年は、やっと笑顔になりました。それから、ポケットの中をさぐりつつ、こういったのです。

「あっ、そうだ。うちの会社が、ノーサンバーランド・ホテルにとまっているヘンリー・バスカビルという人から、ホームズ先生あての手紙をおあずかりしたので、いっしょに持ってきました。」

「そうか、それはありがとう。今日は、ほんとうにがんばってくれたね。また、仕事をたのむときは、よろしくね。」

手紙を受けとりながら、そうお礼をいったホームズに、

「はいっ、いつでもなんでも、おてつだいします！」

カートライト少年は、元気よく答えて、帰っていきました。

「気持ちのいい少年だね。ロンドン、いやイギリスじゅうで、ああいう子どもたちが、一生けん命、はたらいているんだな。……ところで、ヘンリー・バスカビル氏は、なんといってきたんだい？」

しずかに手紙を読んでいるホームズに、ぼくがたずねると、かれは手紙をぼくにわたしました。そこには、こう書いてありました。

——執事のバリモアは、ずっとバスカビル館にいた。

「これは、どういうことだい？」

ぼくがきくと、ホームズは、当てがはずれたように答えました。

「うん……ほら、馬車でぼくたちやモーティマー医師、ヘンリー・バスカビルをつけた黒いあごひげの男、あれがもしバスカビル家の執事バリモアだったらと、うたがったんだ。もしそうなら、かれは館にいないはずだ。そこで、バリモア本人でないと、受けとれないように指定した電報を打ってもらって、たしかめることにしたんだが……。」

「どうだった？」

「電報は、無事にとどいた。つまりバリモアは館にいたことになる。」

「ということは、あのあごひげ男とは、別人というわけか。」

ぼくがいうと、ホームズはうなずきました。

「そういうことだ。ぎょ者のクレイトンの話からも、カートライトくんがホテルのごみ箱を調べた結果からも、バスカビル館に問いあわせた返事からも、黒いあごひげの男の正体は、明らかにならなかった。」

「それら三つの手がかりが、どれも切れてしまったわけか。」

「ああ。こうなるとワトスン、きみがたよりなんだが……。ぼくはきみにバスカビル館に行けなんて、たのむんじゃなかったと思っているんだよ。」

「なんで今さら、そんなことをいうんだい。」

ぼくがおどろくと、ホームズはめずらしく心配そうにいうのでした。

「ぼくらの敵はそうとう手ごわいやつだし、今度の事件はわからないことだらけだ。そんなところへ、きみを一人で行かせるのだからね。」

「何をいうんだ、りっぱに、きみの代わりをつとめてみせるよ。」

そういったぼくでしたが、さすがにあのバスカビル館で、どんなことが起きるかと思うと、きんちょうせずには、いられませんでした……。

8 あれ地に着いて

それから、何日かたって、ぼくはヘンリー・バスカビル、それにモーティマー医師といっしょに、汽車でロンドンを出発しました。

目指すは、デボン州のダートムーア。とても楽しい旅でした。

まどから見えるけしきは次々とうつりかわり、ロンドンではあたりまえの建物が、へっていきます。草原には、草を食べる牛が見えました。

ヘンリーもモーティマー医師も、とても気持ちのいい人たちで、いろいろ話をしているうちに、すっかり親しくなりました。ときには、モーティマー医師がつれているスパニエル犬と、遊びました。

「ぼくは、バスカビル館に行くのは、生まれてはじめてなんですよ。子どものころをすごしたのは、べつの町でしたし、父が亡くなったあとは、アメリカにわたりましたからね。今から楽しみでなりませんよ。」

ヘンリーは、*1きょうはく状など気にしないようすで、いうのでした。

「そういえば、ホテルでなくした黒いくつは、見つかったのですか。」

ぼくがふと思い出して、たずねると、かれは首をふりました。

「いや、とうとう出てこずじまいです。ですが、ほかにへんなことはなかったし、ただの物とりのしわざだったんでしょう。」

そう、のんきに答えたのが、かえって気になりました。

やがて汽車は、いなかの駅に着きました。そこからは馬車で、自然のゆたかな、でも、どこかさびしい風景の中を進んでいきました。

8　あれ地に着いて

前のほうに見えるのは、小高い丘。ぼくたちを乗せた馬車は、そのてっぺんを目指して、曲がりくねった坂道を上っていくのでした。

「おお、これは見たこともない植物だ。シダ[*2]の一種かな。ややっ、ごらんなさい。あの白くうずをまいた川の流れのすごいこと！」

ヘンリー・バスカビルは、何を見てもめずらしく、おもしろいようでしたが、ぼくには、ずいぶん暗いふんい気の土地だな、としか思えませんでした。

「あっ、あれはなんだ？　あんなところで、何をしているんだ。」

モーティマー医師が、ふいにさけびました。かれが指さしたがけの上を見ると、兵士が一人、銃をかまえて立っているではありませんか。

この馬車のぎょ者が、そのわけを教えてくれました。

＊1きょうはく状…相手をおどすために、一方的に送りつける文書。
＊2シダ…ワラビ、ゼンマイなどの、シダ植物のこと。

「なんでも、近くの刑務所*でろうやぶりがあって、セルデンという殺人犯が、にげだしたんだそうです。とにかくあぶないやつなので、ああして見はってるんですよ。このへんに住む者は、気をつけろということです。」

殺人犯セルデン！　その名前や顔は、新聞で見たことがありました。ホームズも「危険な犯罪者」と、いっていたおぼえがあります。

（そんなやつがろうやぶりをして、このあたりをうろついているなんて、やっかいなことが一つふえたな。チャールズ・バスカビルの死のなぞを調べつつ、ヘンリーのあとをつけたり、きょうはく状を書いたりした人間の正体も、つきとめなくてはならないというのに……。）

そう考えたとき、馬車が丘の上まで来て、道が下り坂になりました。

とたんに、けしきががらりとかわりました。草や木はほとんどなくなり、むきだしの地面に、ごつごつした岩や石が転がるばかり。

*ろうやぶり…罪をおかした人が、ろうやからにげだすこと。

それは、まさに「あれ地」でした。なんと寒々しく、わびしい風景だろう――と、ぼくは、ため息をつかずには、いられませんでした。

（こんなところでは、どんな生き物も、くらしていけないのではないか。もしセルデンが、ここへにげこんだとしたら……。）

そう考えたとたん、強くつめたい風がふいてきて、ぼくたちは身ぶるいしました。いつもこんな風がふいているせいでしょうか、わずかに生えた木は、ひんまがったり、ちぢこまったりしていました。

それらの木の向こうに、にょっきりと二つの塔が立っているのが見えました。ぎょ者が、その建物をむちで指すと、ぼくらにいいました。

「あれが、バスカビル館です。」

馬車は、そのあと、りっぱな鉄の門をくぐり、両側に木を植えた道を

通って、ツタでびっしりとおおわれた建物の前で止まりました。
――こうしてぼくたちは、何百年も前に、主人が魔犬にかみ殺され、ついこの間も変死事件の起きた、バスカビル館に着いたのでした。

9 バリモア執事と、深夜の声

「ようこそ、新しいだんなさまとご友人方。お待ちしておりました。」

ぼくらをむかえたのは、執事のバリモアと、妻のイライザでした。二人ともたいどはていねいですが、なんだかとても暗い感じです。それ以上に、ぼくが注目したのは、バリモアが生やしている黒いあごひげでした。

（あの馬車に乗っていた男と、よくにたひげじゃないか……あのときは、ちゃんと顔を見なかったから、同じ人間かどうかは、わからないが……。）

それに、バリモアはずっと館にいて、自分あての電報を受けとっています。では、やはり別人か——と考えていると、バリモアがいいました。

「あの、ワトスンさん、どうかなさいましたか。」

「あ、いや、ぼくはしばらくこの館にとまるから、よろしくたのむよ。」

ぼくは、あわててそう答えました。

それから夕食になりましたが、モーティマー医師は自分の家に帰ったので、ぼくとヘンリー・バスカビルの二人きりになってしまいました。とにかく広い屋しきで、しかも古いので、しーんと静かすぎて、かえって落ちつきません。そのうえ食堂のかべには、バスカビル家代々の主人をかいた絵がかかっていて、ぼくたちを見下ろしているのです。

食事のあと、ヘンリーはため息をつきながら、ぼくにいいました。

「やれやれ、すごいところに来ちゃいましたね。でも、今日からは、ここがぼくの家なんだから、なんとかしますよ。まず、*エジソンが発明した電球をずらりとつけて明るくしてやりましょう。……では、お休

みなさい。これだけしずかなら、ゆっくりねむれるでしょう。」

「そうですね。お休みなさい。」

そう答えたものの、ぼくはその晩、ねむるどころではありませんでした。というのも、深夜に不気味な声が聞こえてきたからです。

それは、ヒーッ、ヒーッ、という、かん高い声でした。さいしょは、屋しきの庭か、外のあれ地で、けものか、鳥が鳴いているのかと思いました。

けれど、そうではなかったのです。ヒーッ、ヒーッ……それは、まちがいなく人間の、それも女の人がなく声だったのです！

＊エジソン…トーマス・エジソン（一八四七～一九三一年）。アメリカ合衆国の発明家。電信機・蓄音機・白熱電球・映写機など、多くの物を発明・改良し、発明王とよばれる。

10

博物学者ステープルトンと、その妹

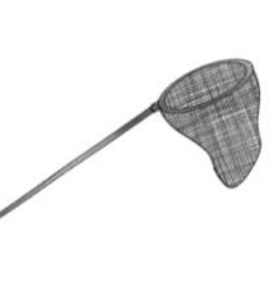

朝になって、ヘンリー・バスカビルにたずねてみたのですが、かれはぐっすりねむっていて、何も聞こえなかったといいます。

しかたなく、朝食のとき、執事のバリモアにきいてみました。

「この館には、きみのおくさん以外に、女の人でも住んでいるのかい。」

「さあ、べつの建物で寝起きしているメイドが一人いるほかは、わたしの妻だけでございますが……それがどうかしましたか。」

バリモアは、首をかしげて答えたあと、ぼくをじろりと見ました。

「いや、なんでもないんだ。」

ぼくはそういって、今はそれ以上、問いつめないことにしました。相手に、あやしまれてはいけないと思ったからです。どうも、バリモアという執事には、ひみつがある気がしてなりません。そこで、散歩にかこつけて近くの郵便局に行き、きいてみました。

「何日か前に、ロンドンからバスカビル館のバリモアに、電報をとどけたはずだが、そのときちゃんと本人に手わたしたかね？」

＊メイド……主人の身の回りの世話をする、女性の使用人。

そこで、郵便局長が電報の配達係をよんでくれたのですが、なんと、かれの口から、意外なことがわかったのです。

「はい。あのとき、じかにバリモアさんにわたすようにいわれて、館まで行きました。すると、ちょうどおくさんのイライザさんが出てきて、『うちの人は、今、屋根うらで手のはなせない仕事をしていてね……。あたしが受けとって、あとであの人にわたしておきますよ。』そういわれましたので、電報をあずけて帰ってきたんです。」

（なんてことだ！　これではバリモアが館にいたかどうか、わからないではないか。せっかくのホームズのくふうも、これでだいなしだ……。）

ぼくは、がっかりしながら郵便局を出ました。ホームズにどう報告の手紙を書こうかと考えながら、あたりを歩きまわっていると、

「おーい、ワトスンさーん。おーい。」

と、ぼくの名をよびながら、走ってきた男がありました。

年は三十歳ぐらいで、きちっとしたスーツを着ているのに、頭には麦わら帽子をかぶっています。さらに、手には虫取りあみを持ち、肩からは虫かごを下げているのが、なんとなくおかしく見えました。

「やあ、わたしはジャック・ステープルトンといいまして、あれ地の向こうに住んで、博物学の研究をしておる者です。めずらしいチョウを追っていて、あなたを見かけたものですから、ごあいさつを、と思いましてね。」

「ぼくのことを、ごぞんじなのですか。」

ぼくがたずねると、ステープルトンはうれしそうに答えました。

「ええ、モーティマー医師から聞きました。わたしは、あなたがお書きになっている、名探偵シャーロック・ホームズの大ファンなんですよ。……おや、ホームズさんは、ごいっしょでないのですか。」

「あいにく、とても大事な仕事が、ロンドンにありましてね。」

ぼくが答えると、ステープルトンは、ざんねんそうに、

「そうですか。でもホームズさんの親友のあなたが、ここに来たのは、やはりチャールズ・バスカビル氏の死を調べるためですよね？」

と、さぐるようにぼくにたずねてきました。

「そういうことでは、ないんですよ。たまたまヘンリー氏やモーティマー医師と友だちになったもので、一度来てみたくなっただけです。」

ぼくがごまかすと、かれはあっさりなっとくしたようすでした。

「おや、そうなんですか。まあ、たしかにここには、めずらしいものがありますからね。ほかの土地にはいない鳥やチョウ、植物だとか、古代人がつみあげた、ふしぎな石の家だとか……それに、そこなし沼もね。」

「そこなし沼ですって？」

「そう、このへんには沼がたくさんありましてね。とても深いうえに、ちょっと見たぐらいではわかりにくくて、うっかり落ちたら、二度とはいあがれないのです。うちの近所にも『グリンペンの人食い沼』という、ものすごいのがあるんですが、ワトスンさんも気をつけたほうがいいですよ。」

「それは、どうも。」

ぼくがてきとうに答えたときでした。どこか遠くから、なんとも、きみょうで、ぞっとするような声がひびいてきました。

ぼくが「あれは？」ときくと、ステープルトンは顔をくもらせて、

「また、あわれな野生のけものが、そこなし沼に落ちたのかもしれませんな。でなければ――あの伝説の魔犬があらわれたのかもしれない。」

② カラーイラストがいっぱい！

色あざやかなさし絵で、お話がイメージしやすいよ。

カラーの絵のおかげで、物語の中に入った気分になれました。（4年女子）
お話の世界に入りやすい！
プロローグ

く文章が読める！

ように、くふうがいっぱい！
説明もついているよ。

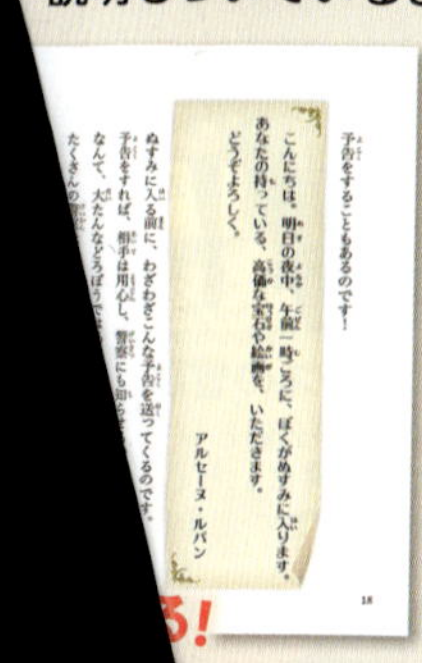
1章が短い！
文章がちょうどよくて、おもしろい！（3年男子）

本格なぞときミステリーを楽しもう！

10歳までに読みたい名作ミステリー シリーズ

推理がもりだくさん！
ホームズとルパンの
本格ミステリーシリーズ！
読みやすいひみつと、
ドキドキはらはらの
10さつを紹介するよ！

なぞときがもりだくさん、本格ミステリーシリーズ！

10歳までに読みたい 名作ミステリー

全⑩巻

シャーロックがかっこいい！ワトスンになって推理に協力したい!!（6年男子）

ハラハラ、ドキドキで、ページをめくる手がとまりませんでした。（5年男子）

読書をあまりしない息子が、読んでみたいと言いだし購入しました。「おもしろい」と言って夢中で読んでます。（4年親）

ルパンみたいに頭がよくなりたいです。よわい人にやさしいところがカッコイイ。（3年女子）

＼名推理で、事件を解決！／

名探偵 シャーロック・ホームズ

コナン・ドイル／作
芦辺拓／文

なぞの赤毛クラブ

赤毛の男性しか入れないふしぎな会には、ある秘密が…。『なぞの赤毛クラブ』『くちびるのねじれた男』の全２話収録。

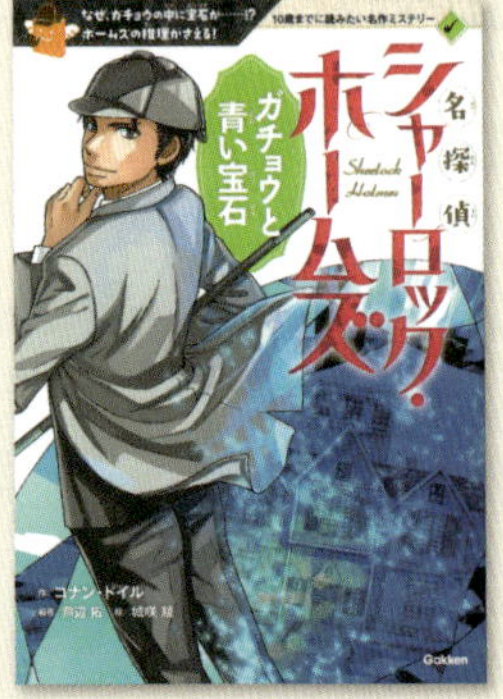

ガチョウと青い宝石

ひょうんなことから手に入れたガチョウの中から、宝石が!?『ブナの木館のきょうふ』『ガチョウと青い宝石』の全２話収録。

ホームズ最後の事件!?

ワトスンをおとずれたホームズが、けがをしていて…。『ボヘミア王のひみつ』『ホームズ最後の事件!?』の全２話収録。

おどる人形の暗号

ホームズがワトスンにわたした１枚の紙には、ふしぎな絵が…。『おどる人形の暗号』『からっぽの家の冒険』の全２話収録。

バスカビルの魔犬

名家・バスカビル家の主人が死体で発見された。ホームズとワトスンは事件の調査をするが、そこには魔物のような犬が…。

＼天才ルパンの大冒険！／

怪盗 アルセーヌ・ルパン

モーリス・ルブラン／作
二階堂黎人／文

あやしい旅行者

ルパンがのりこんだとみられる特急の中で、おどろく事件が!?『あやしい旅行者』『赤いスカーフのひみつ』の全２話収録。

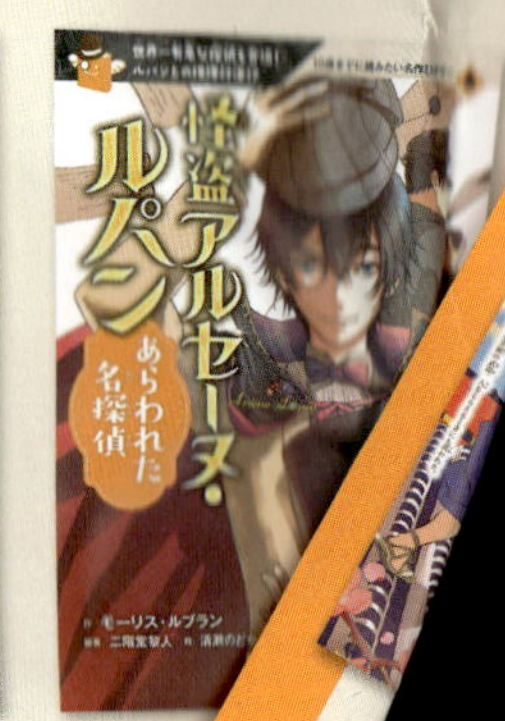

あら

ついに
イギ
づ
名

王妃の首かざり

ルパンが怪盗紳士となった理由が、明かされる!?『王妃の首かざり』『古いかべかけのひみつ』の全２話収録。

少女

なぞ
オル
『砂浜の
あと』の全

「魔犬ですって!?　そんなものが、ほんとうにいるというんですか？」

ぼくは、思わず声を上げてしまいました。でも、ステープルトンは、それに答えることなく、いきなり空中を指さして、さけびました。

「あっ、さっき見失ったチョウだ！　今度こそ、にがさんぞ。……では、ここでさようならです。またいつか、ワトスンさん！」

そういうと、ひらひらととんでいくチョウを追いかけて、走っていってしまいました。だいぶ行ってから、ぼくのほうをふりかえって、

「この土地のことを知りたいなら、フランクランド老人をおたずねなさい。いろいろおもしろいことを知っていますよ。……こらーっ、チョウよ、待て。おとなしく、わたしにつかまれ！」

そんなことをいいながら、行ってしまいました。

（かわった人だな。博物学者って、みんなあんなふんい気なのかな。）

ぼくがあきれて見送っていると、ふいに、すぐ後ろで「あのう……」

と、わかい女の人の声がしたので、びっくりしました。

「兄は、いつもああなのです。失礼がありましたら、おゆるしください。」

ふりかえると、そこにいたのは黒っぽい髪の、とても美しい女性でした。ぼくは、ちょっとどきどきしながら、かのじょにいいました。

「兄ということは、あなたはステープルトンさんの妹さんなのですか。」

「はい、あたくし、ベリル・ステープルトンと申します。」

女の人はそう答えながら、すぐに、ぼくにぐいっと近づくと、

「あなたは、今すぐロンドンにお帰りになったほうが、よろしいですわ。ここにいてはいけません。ここは、とても危険な場所なのです。」

いきなり、とんでもないことをいってきました。

「えっ！　それはいったい、どういう……。」

びっくりしてききかえすぼくに、かのじょは、さらにこういいました。

「何もきかないでください。あなたがここにいれば、きっとおそろしいことが起きます。バスカビル館の主人になれば、あのチャールズさんのように魔犬に、おそわれるかもしれませんよ……ヘンリーさん！」

「ちょっ、ちょっと待ってください。」

ぼくはベリル・ステープルトンの言葉を、さえぎりました。

「あなたは人ちがいをしてますよ。ぼくはヘンリー・バスカビルじゃなく、かれの友人でロンドンからついてきた、ワトスンというものです。」

そのとたん、ベリル・ステープルトンの顔色がかわりました。

「あ……あたくしったら、なんてことでしょう。今の話はわすれてくだ

さい。そして、だれにも、とくにうちの兄には、けっしておっしゃらないように！」

そういって走りさってしまったので、わけがわかりませんでした。

しかし、ヘンリー・バスカビルに、よくないことが起きる……。そして、あの伝説の魔犬が今でもいると、ここに住む人が信じていることは、たしかなようでした。

11 夜歩く執事と、あれ地の光

バスカビル館に帰ったあとも、ぼくの頭は、こんらんしていました。ロンドンにいるホームズには、起きたことを手紙で報告することにしていましたが、書くことが多すぎて、こまるくらいでした。

(早く来てくれホームズ。この館には、たしかにひみつがある。チャールズ・バスカビル氏の変死は、やはりだれかのしわざで、今また、あとつぎのヘンリーにも、同じことが起きるかもしれないんだ!)

何より屋しきには、執事のバリモアがいます。一度うたがいの目で見始めると、かれのやることなすこと、気になってしようがないのです。

それで、ぼくはこっそりバリモアを見はることにしたのですが、その結果、かれがとんでもないことをするのを見てしまいました。

それは、またしても夜中のこと、だれかが部屋の前を通った気がして、ぼくは目をさましました。気のせいかなと思ったのですが、ドアのすき間がほんのり明るく、だれかがろうそくを手に、ろう下にいるようです。

やがて、光は横にずれて見えなくなり、かすかにゆかのきしむ音がしました。ぼくはベッドから出ると、そっと、ろう下をのぞいてみました。ちょうど*しょく台を持った大男の後ろすがたが、遠ざかっていくところでしたが、それはまちがいなくバリモアでした。あとをつけていくと、かれは、ふだん使われていない部屋に入っていきました。

そこをのぞくと、バリモアはしょく台の火を、まどから外に向けてかざしています。しばらくして、火をフッとふきけしてしまいましたが、そのとき、まどの外のあれ地に、小さな光の点が見えたような気がしました。

おや？　と思ったとき、バリモアが部屋から出てくる足音がしました。

ぼくがあわてて部屋にもどろうとしたとき、いきなりパッとついたマッ

チの火が、バリモアの顔をてらしだしました。

「バリモア、そんなところで、何をしている！」

マッチを持っていたのは、ヘンリー・バスカビルでした。かれもバリモアのおかしな行動に気づき、かれのあとをつけていたのです。

「こ、これは、だんなさま。」

バリモアは少しあわてましたが、すぐにふてぶてしいようすで、

「わたしは夜回りをしていただけでございます。近ごろは、ぶっそうですから、まどにかぎがかかっているか、たしかめておりました。」

と、ヘンリーにいいかえしました。

「なんだと？　ごまかすつもりか？」

大声を上げたヘンリーは、そのときはじめて、ぼくに気づきました。

＊しょく台…持ちはこびができる、ろうそく立て。

「おや、ワトスンさん。あなたもいたんですか。ならば、ごらんになりましたよね、この男があの部屋で、何をしていたかを！」

ぼくとしては、バリモアの行動を、もう少し見守りたかったのですが、

ヘンリーが見つけてしまった以上、しかたがありません。

「ええ……バリモアは、あの部屋のまどから、外に向けてろうそくの光をかざしていました。夜回りのつもりなら、必要ないことでしょう。」

バリモアは気まずそうにうなだれ、ヘンリーは勝ちほこりました。

「それみろ、おまえは主人にうそをついていたな。ほんとうのことをいわないなら、今すぐ館をやめてもらうぞ。」

バリモアが、じっとかれの言葉を聞いていましたが、やがて、

「ならば、しかたありません。やめさせていただきます。」

あっさりいったのには、びっくりしました。しかし、そこへバリモアの妻のイライザがかけこんできたので、もっとびっくりしました。

「だんなさま、悪いのは、すべてわたしでございます。夫は、わたしに

たのまれて、このようなことをしただけなのでございます。」

バリモアは妻をにらみましたが、ヘンリーはかまわずききました。

「おまえが、いったい何をたのんだというんだ。」

「あれ地で、うえ死にしかかっているわたしの弟に、食べ物をやることでございます。そのため夫は、合図を送っていたのでございます！」

なきさけぶイライザに、ぼくは思わずハッとし、こうたずねました。

「おまえの弟というのは、ひょっとして、あの犯罪者の？」

「はい、おさっしのとおりでございます。わたしの弟というのは、この間、ろうやぶりをした殺人犯、セルデンなのでございます！」

この打ち明け話には、ヘンリーもおどろきました。あのセルデンが執事バリモアの身内だったなんて……。それならば、バリモアのあやしい

行動も理解できますし、ぼくが聞いた、あの夜中のなき声も、おそらくイライザのものだったのだと気づきました。

「そういうことだったのか……。それなら、バリモアを首にするわけにはいかないな。だが、おまえたちはゆるせても、セルデンをそのままにしてはおけない。すぐに、ぼくたちの手でつかまえなければ！」

その言葉に、イライザは「あ、それだけはおやめください」とすがりつきましたが、むろんヘンリーは聞きませんでした。

「とにかく、すぐ追わねば。ワトスンさんも来てくれますか。」

もちろん！　というわけで、ぼくたちは、まだ夜の明けないあれ地へと、殺人犯のついせきに乗りだしました。でも、そこでぼくたちは見聞きすることになったのです。なぞめいた人かげと、世にもふしぎな声を！

＊首にする…やとっている人をやめさせること。

12

殺人犯セルデンと、なぞの人かげ

ぼくとヘンリー・バスカビルは、あれ地の中を進んでいきました。
真っ暗やみの中に、さっきも目にした光の点が、ぽつんと見えます。
バリモア夫婦の話では、そこにセルデンがひそんでいるらしいのです。
夜中に、バリモアが館の二階のまどから、ろうそくの火で合図をし、
セルデンが、まだあれ地にいれば、明かりをつけて返事をする。すると、
バリモアがそこへ、食べ物をとどけることになっていたというのです。
つまり、その光を目指せば、セルデンをつかまえられるはずです。
こちらの武器は、ピストルと狩りに使うむちだけ。それだけで殺人犯

に立ちむかえるか、わかりませんでしたが、二人とも夢中でした。
と、そんなさなか、暗やみのかなたから、なんとも不気味な声が鳴りひびきました。人間の声ではありません、けもののさけびです。

「い、今のはなんだ。」

ヘンリー・バスカビルが立ちどまり、いいました。

「聞こえましたか。このへんでは、ときどき聞かれるそうですが。」

ぼくが答えると、ヘンリーはハッとした表情になりました。

「ワトスン先生は今の鳴き声を知ってるんですね。あれはなんですか。」

「ぼくにも、よくわかりません。ただ土地の人は、犬の声だといっていました。昔ヒューゴー・バスカビルをかみ殺し、最近のチャールズ・バスカビルの変死でもうわさされた、魔犬がほえているのだと。」

その言葉に、ヘンリーはショックを受けたようでした。自分もバスカビル館の主人となった今、同じ運命にあうのではと、おそれたのです。

ぼくたちは、だまったたままついせきをつづけました。セルデンの明かり

が間近に見えたとき、向こうの岩山から、何かがとんできました。

それは、大きな石ころでした。びっくりしたぼくの目に、おそろしい顔つきの男が、ちらっとすがたをあらわし、引っこむのが見えました。

「セルデンだ！」

ヘンリーがさけびました。とんでくる石ころにめげず、岩山をかけあがったとき、月の光がさし、ずっと先の坂をかけおりるセルデンのすがたが見えました。かれは、とても追いつけないところにいました。

「しかたがないな。また日をあらためて追っ手を出そう。」

「そうですね。」

ヘンリーに答えたぼくが、ふと目を上げたときでした。

セルデンがにげていった場所とは、ぜんぜんべつの方角にある岩山。

そのてっぺんにすっくと立つ人かげがあったのです。背が高く、やせていて、どこか人間でないような、*こうごうしさにみちていました。

「あ、あれは！」

さけんだぼくにつられて、ヘンリーもその岩山を見ましたが、

「なんだ、何もいないじゃありませんか。」

と、ほっとしたようにいいました。たしかにそこには、もうあの人かげはありませんでした。……今のは、まぼろしだったのでしょうか。

こうして、ぼくはへんな気分のまま、バスカビル館に帰ったのでした。

「けっきょくセルデンはつかまえられなかったが……しかし、このままにはしておけないし、どうしたものでしょうな。」

屋しきにもどったあと、ぼくはヘンリー・バスカビルにいいました。

「うむ。警察や軍隊をよんで、あれ地をかこめば、すぐつかまえられるだろうが……やはり、そうしたほうがいいでしょうかねえ。」

ヘンリー・バスカビルがそういったとたん、バリモアといっしょに、そばにひかえていた妻のイライザが、わっと、なきくずれました。

ヘンリーは、こまってしまいました。イライザの弟を思う気持ちもわかりますが、法をやぶった者を見のがすことはできません。

そのとき、バリモアが、何か決心したようにいいだしました。

＊こうごうしい…気高くて、おごそかな感じがする。

「あの、だんなさま……じつは、わたし、チャールズ・バスカビルさまの死について、知っていることがございます。もし、このことがお役に立つのなら、イライザのねがいを聞いてやっては、いただけませんでしょうか。」

「そんな約束はできないが……とりあえず話してみろ。」

ヘンリーがそういうと、バリモアはうなずきました。

「はい……チャールズさまが病死ということになったあと、お部屋を整理していましたら、だんろのおくの、手紙のもえのこりが見つかったのです。ほとんど灰になっていましたが、『十時に木戸の前に』『この手紙はかならずもやして』という文章が読めました。そして、さしだし人のところには、『B・G』と、頭文字が書いてあったのです。」

「なんだって？　十時というと、もしかして……。」

ぼくは、びっくりしてききました。すると、バリモアはうなずいて、

「はい、チャールズさまがいなくなったのが、その時こくでしたし、木戸とは、あの方の死体の近くにあったものにちがいありません。これは、たいへんなものを見つけたと思い、だんろから取りだそうとしたところ、ちょっとさわっただけで、くずれてしまいました。となるともう証拠*になりませんから、つい、いいそびれてしまいまして……。」

おどろくべき話でした。これがほんとうなら、チャールズ・バスカビルは「B・G」という人間にさそいだされたあと、死んだことになります。しかし、こういう頭文字の人間は、だれもいないとのことでした。

「いかがでしょうか。何かお役に立ちましたでしょうか。」

＊証拠…事実であることを明らかにするための、理由となる資料。

「ああ、大いにね。これは、たいへんな手がかりになるだろう。」

ぼくがうなずくのを見て、ヘンリーがいいました。すると、バリモアは、

「ならば、セルデンを見のがしてやってはいただけないでしょうか。」

と、すがるようにおねがいしてきました。

「おいおい、勝手なことをいうなよ。相手は犯罪者だぞ。」

ヘンリーは、一度は、ことわりましたが、イライザのなげきかなしむようすを

見て、こう答えました。

「まあ、しかたがない。バスカビルの＊領地にいる間は見のがしてやるが、その代わり、さっさと遠くへ——できれば外国へでも行くようにいえ。もちろん、二度と悪いことをしないとちかうなら、だが。」

「ありがとうございます！　きっと、そのように、ちかわせます。」

バリモア夫婦は、ぺこぺこと頭を下げました。ヘンリー・バスカビルは、てれくさかったのか、わざとぶっきらぼうにいいました。

「お礼はいいよ。それより、セルデンはどうせろくな身なりをしてないんだろうから、ぼくの古着でもくれてやれ。」

＊領地…自分のものとして持っていて、支配する土地。

13 フランクランド老人の望遠鏡

セルデンのことは、バリモア夫婦にまかせることにしました。でも、チャールズ・バスカビルの死のなぞと、今まさにヘンリー・バスカビルの身にせまる危険については、さっぱり考えがまとまりませんでした。中でも気になったのは、あのなぞの人かげです。セルデンのほかに、もう一人、あれ地にひそむ男がいるのは、まちがいありません。

あの男はどうにも、ふつうの人間とは思えません。ふと考えたのは、ロンドンでぼくたちを馬車でつけたり、きょうはく状を送ったりしたのも、あの男ではなかったかということでした。

とはいえ、屋しきにこもっていても、何も考えつきませんし、ホームズへの報告もまとまらないので、外へ出ました。そうすれば、いい考えもうかぶし、手がかりもつかめるかもしれないと、考えたからでした。

その予想は、思いがけない形で当たりました。すぐに一人の老人に声をかけられたからです。赤ら顔で、ほおひげを生やした男でした。

「やあ、きのうは、バスカビル館でさわぎがあったそうですな。そのことで少しおもしろい話があるので、わしの家に遊びに来なさらんか。」

いきなり、なれなれしく話しかけられて、ぼくはびっくりしましたが、

「あの、あなたはどなたですか。」

と、たずねてみました。すると、老人はわらいながらいいました。

「こりゃ失礼。わしは近くに住むフランクランドといって、先代のバス

カビル氏やモーティマー医師、ステープルトンくんとも友人じゃよ。」

ステープルトンがいったフランクランドとは、この人だったのです。

そこで、かれについていくと、ふうがわりな一けん家に案内されました。

「そういえばワトスンさん、あんた、殺人犯のセルデンをつかまえようと、ヘンリー氏とあれ地まで行ったものの、まんまとにげられたそうじゃな。いや、かくさなくてもよい。わしは、*1早耳なのじゃから。」

「べつにかくすつもりはありませんが、それがどうかしましたか。」

ぼくは、ちょっとふきげんになりながら、答えました。

「まあ、あんなところに、にげこまれては無理もない。じゃが、わしが、あいつのかくれ場所を知っているとしたら、どうするね？」

「それは教えてほしいですが……なんで、それをごぞんじなんです？」

ぼくは半分はびっくりし、半分はうたがいながら、たずねました。

「何、趣味の望遠鏡で見つけたのじゃよ。わしは、夜は星、昼は地上をながめるのが楽しみでな。もっとも見えるのはあれ地ばかりじゃが、このところ、おもしろいものが見られるようになったのじゃ。」

「おもしろいもの？」

＊1早耳…人の話などを早く聞きつけること。また、そのような人。＊2趣味…楽しみにする物事。

ぼくが首をかしげると老人はにやっとわらい、まどの外を見ました。

「おお、ちょうど、そのおもしろいものがやってきた。――ほれ、向こうの丘の中ほどに、何か小さいものが動いているじゃろう？」

いわれてみると、たしかにそれらしいものが見えます。でも遠すぎて、たぶん人間だ、という以上のことはわかりませんでした。

「わかいあんたの目でも、よく見えんかな？　そこで、わしのじまんの望遠鏡の出番じゃ。ワトスンさん、こっちの階段を上がってきなされ。」

強引につれていかれたのは、平らな屋根の上で、そこには、三きゃく[*1]に取りつけられた望遠鏡がありました。フランクランド老人は、そのレンズに目を当てると、望遠鏡のあちこちをいじりながら、ぼくにいいました。

「ほうれ、今日もあらわれおった。このところ何度も見かけるものだから、なんじゃろうと思っていたが、夕べのさわぎを聞いて気づいたんじゃよ。あれは、セルデンに食べ物や水を運ぶ子どもだとな。」

「えっ、子どもですって？」

「ほらほら、*2論より証拠、見てみなされ！」

望遠鏡をのぞくと、つつみを肩から下げた男の子が、丘をかけあがるのが見えました。はて、これはどういうことでしょう。

セルデンに食べ物を運ぶのはバリモアで、しかも、夜中のはずです。それに、望遠鏡が向いていたのは、セルデンではない、あのなぞめいた人かげがいたあたりでした。

フランクランド老人は、かんちがいをしていたのです。かれが見たの

*1 三きゃく…物をのせる三本の足の台。
*2 論より証拠…口先でいろいろ話し合うよりも、証拠を見せたほうが、はっきりするということ。

は、あれ地にひそむ、もう一人の男に、食べ物を運ぶ少年だったのです。

（ということは……あそこに行けば、あの男に会える。そして、やつはこの事件を解くかぎをにぎる犯人かもしれない！）

ぼくは考え、決心しました。あのなぞの男を見つけ、できればつかまえようと。

そして、バスカビル家に取りつくわざわいを、たってしまおうと！

14 石の家にひそむもの

そのあと、ぼくはバスカビル館には帰らず、一人であれ地に向かいました。ポケットには、夕べ持っていったピストルが入ったままです。

望遠鏡で見た場所に着いたとき、もう太陽は西にかたむいていました。暗くなると危険なので急いだのですが、どうやら間に合ったようです。

たしかに、ここがさっきの男の子が上っていた丘でした。

日ぐれ近くの太陽にてらされて、大地はふしぎな色にそまっています。

あたりには生き物の気配すらなく、風もぴたりとやんでいました。

この丘の上から見下ろしてみて、きみょうなものに気づきました。大きな石をつみかさねたものが、円をえがくように、いくつもならんでいるのです。

（あれが、古代人がつくったという、石の家のあとか……。）

ぼくは、モーティマー医師が話してくれた伝説や、博物学者のステープルトンの言葉を思い出しました。石の家といっても、ほとんどがくずれていますが、一つだけ、屋根の部分がのこっているものがありました。

（あそこなら、今でも、中にかくれて住むことができそうだぞ。）

そう考えたぼくは丘を下り、その前まで行きました。石の家には四角いあながあいていて、ちょうど部屋のようになっていました。

ぼくはピストルをにぎりしめ、中に入りました。今は、人はいないようでしたが、入ってすぐ、自分の考えが正しかったとわかりました。

そこには毛布がしかれ、たき火のあともあったからです。水の入ったバケツや調理具がおかれ、空きかんやびんも転がっていました。

もうまちがいありません。ここに、あのなぞの人物がいたのです。あの男の子が持っていたつつみもあり、パンやかんづめが入っていました。

しかも、その下には「ワトスン先生の行動記録」と書いたメモがあって、ぼくがどこで何をしたかが、くわしく記されていました。

（なんで、ぼくのことなんか調べるんだ……もしかして、ねらわれているのは、ヘンリー・バスカビルではなくて、ぼくなのか？）

そう考えてドキリとしたときです。外で人の気配がして、くつが地面をふみつける音が聞こえたので、とっさにピストルをつかみました。

ゆだんなく身がまえ、息をひそめて、相手があらわれるのを待ちます。

でも、そのあと、音はやみ、だれも入ってはきませんでした。

それからだいぶたって、入り口にだれかのかげがさしました。

ついに来たか！　と引き金に指をかけたとき、こんな声がしました。

「やあワトスン、そんな中にこもっていないで、出てきたまえよ。あと、こっちへ来るときはピストルをしまってくれると、うれしいんだがね。」

15 魔犬あらわる？

「ホームズ、ホームズじゃないか！」

ぼくは思わずさけんでしまいました。石の家を出てすぐの地面に転がった大きな石に、ぼくの世界一の親友が、こしかけていました。

「やあ、よくここを見つけたね。さすが、わが友、ワトスンくんだよ。」

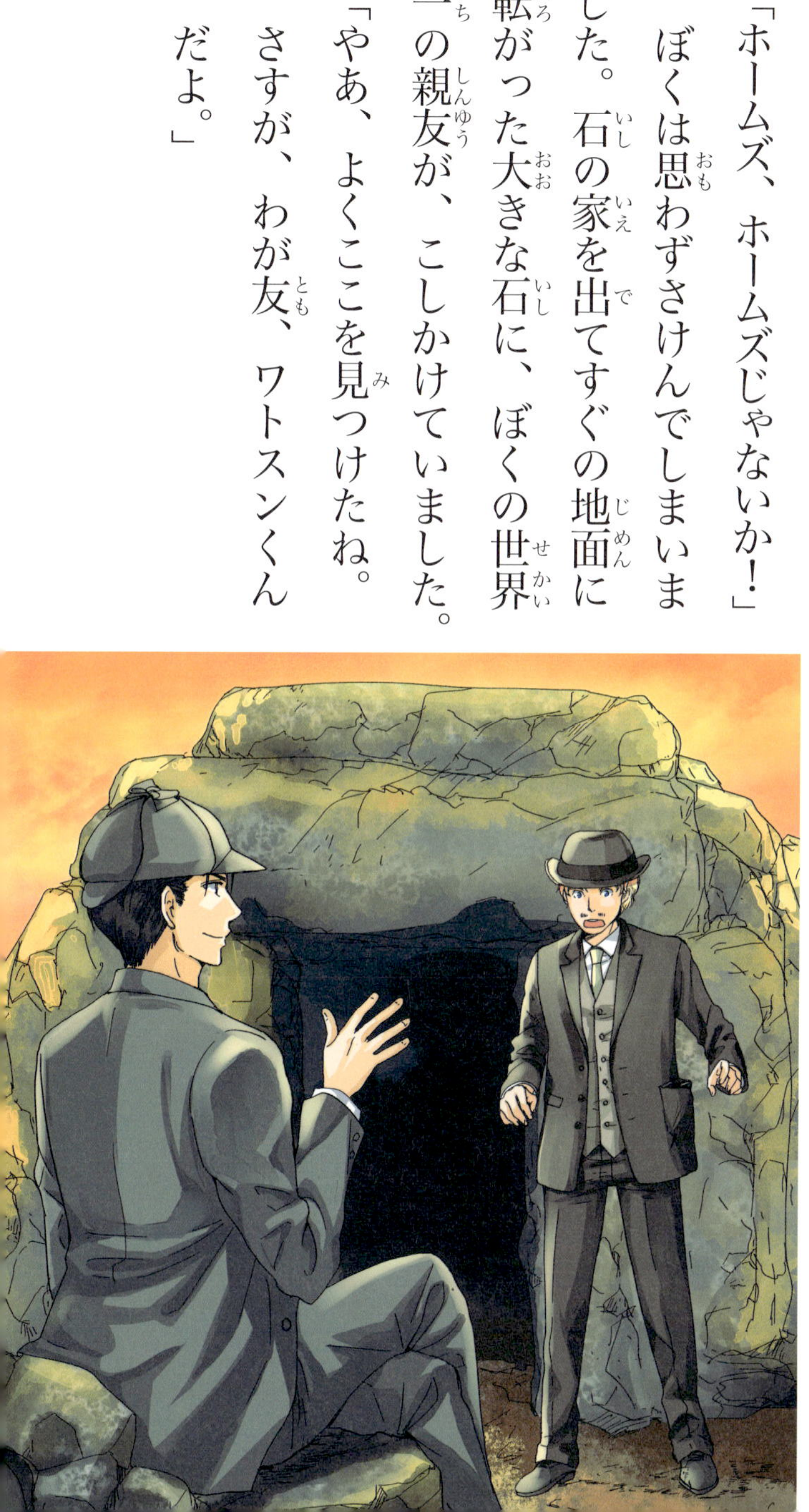

シャーロック・ホームズは、にこにこしながら、いいました。

「きみは、ロンドンで、べつの事件に取りくんでいたんじゃないのか。ダートムーアに来ているんだったら、なぜ教えてくれなかったんだ。」

ぼくは、かれに会えたうれしさのあとで、なんだかはらが立ってきて、いいました。すると、ホームズは頭をかきながら、こういうのです。

「かくしていたのは悪かった。だが、今度の事件については、こうしたほうがいいと思ったんだ。きみはバスカビル家を中側から、ぼくは外側から観察する。きみへの、まわりの人たちの反応もふくめてね。」

「それにしたって、もっと早く教えてくれればよかったじゃないか……。うん、ちょっと待てよ。ぼくが見たあの岩山の人かげは、きみかい？」

ぼくがいきおいこんできくと、ホームズは、にがわらいしました。

「ああ、あれは失敗だった。うっかり月の光を背に立ったところを見られてしまうなんて。そのせいで、きみをこんらんさせたようだね。」

「おかげで、ぼくはここを見つけられたんだが、それにしてもひどいな。きみがここにいたのなら、ロンドンに送った手紙はむだだったのか？」

「その手紙とは、これのことですか、ワトスン先生。」

とつぜん、元気いっぱいな声がしたので、あたりを見回すと、近くの石のかげから、手紙を持った男の子が、ひょっこりとあらわれました。

「き、きみは、あのメッセンジャー会社の……。」

それは、あのカートライト少年でした。なんと、ぼくがフランクランド老人の望遠鏡で見た小さな人かげは、かれだったのです。

「そうか、きみだったのか。ホームズに食べ物や水を運んでいたのは……。

それだけじゃなく、ぼくが書いた手紙も？」

「そうです。先生の手紙は、ぼくがホームズさんにわたしていました。」

カートライト少年は、ほこらしそうに、いうのでした。

「こりゃまいった。これはもう、少年探偵といいたい活やくだね。」

ぼくは、すっかり感心したあと、ホームズにいいました。

「それで、きみのほうは、何かわかったのかい。」

「もちろんさ。たとえばバスカビル館をめぐる人々のひみつとか……。」

ホームズがいいかけた、そのときです。あれ地のはるかかなたから、ギャーッという、ものすごいさけび声がしました。

けものの声ではありません。人間の悲鳴です。だれかが、あれ地のどこかで、命があぶなくなって、さけんでいるのです。

ホームズは、これまで見たことのないきびしい表情で、いいました。

「まさか、われわれが目をはなしたすきに……だとしたら、大失敗だ。だが、今の声はどこからしたんだろう。」

「あっちです！　あの岩山の向こうから聞こえました！」

カートライト少年が、あれ地の一角を指さしました。つづいて、また声がしましたが、今度は人間のものだけではありませんでした。

ウォーッ、ウォーッ……おそろしいけもののうなり声が鳴りひびき、合間に人間の悲鳴がまじるのです。ぼくは、思わずさけびました。

「バスカビルの魔犬だ！」

ホームズは「ついに出たか」とつぶやくと、少年にいいました。

「バスカビル館に行って、あれ地で人がおそわれていると知らせてくれ。警察と、それから医師のモーティマーさんにも来てもらうように！」

「はいっ、わかりました！」

カートライト少年は答えるなり、もうスピードで、かけていきました。

「ワトスン、ぼくたちも行くぞ。」

「わかった！」

そのあとぼくらは、でこぼこで歩きにくいあれ地を走りに走りました。

「ぼくの、せきにんだ。つい、館から目をはなしたのがいけなかった。」

ぼくがあやまると、ホームズは首をふって、いいました。

「いや、ぼくのせいだ。材料をそろえ、推理をきっちり組みたてることにこだわって、人の命を守るのを、おろそかにした。探偵失格だよ。」

などと話すうち、ふいにけものの声が消え、人のうめき声だけが聞こえるようになりましたが、それも間もなくやんでしまいました。

「ここだ、ワトスン。やられた、完全に犯人にしてやられたよ。」

ホームズがくやしそうにいい、地面を指さしました。

すっかり暗くなった中に、だれかが体を横たえているのがわかりました。そして、その人が、もう生きてはいないことも……。

ホームズがマッチをすると、むごたらしいものが明らかになりました。

それは、巨大な何かにおそわれて、かみつかれた人のすがたでした。

しかし、ぼくには、もっとショックなことがありました。その人が着ている赤っぽいツイードの服に、見おぼえがあったのです。

「ヘンリー・バスカビルだ……。」

かれがここにいた理由はともかく、犯人はついにやりとげたのです。チャールズにつづき、バスカビル家の主人を魔犬に殺させることを！

くやしくてなりませんでした。こんなことになる前に、犯人をつきとめられなかった自分が、ゆるせませんでした。

ホームズも思いは同じだったでしょう。だが、かれの行動は素早いものでした。死体のそばにかがむと、ぐいっと顔を持ちあげたのです。

ぼくが「おい、何をする？」ときくと、かれは力強くいいました。

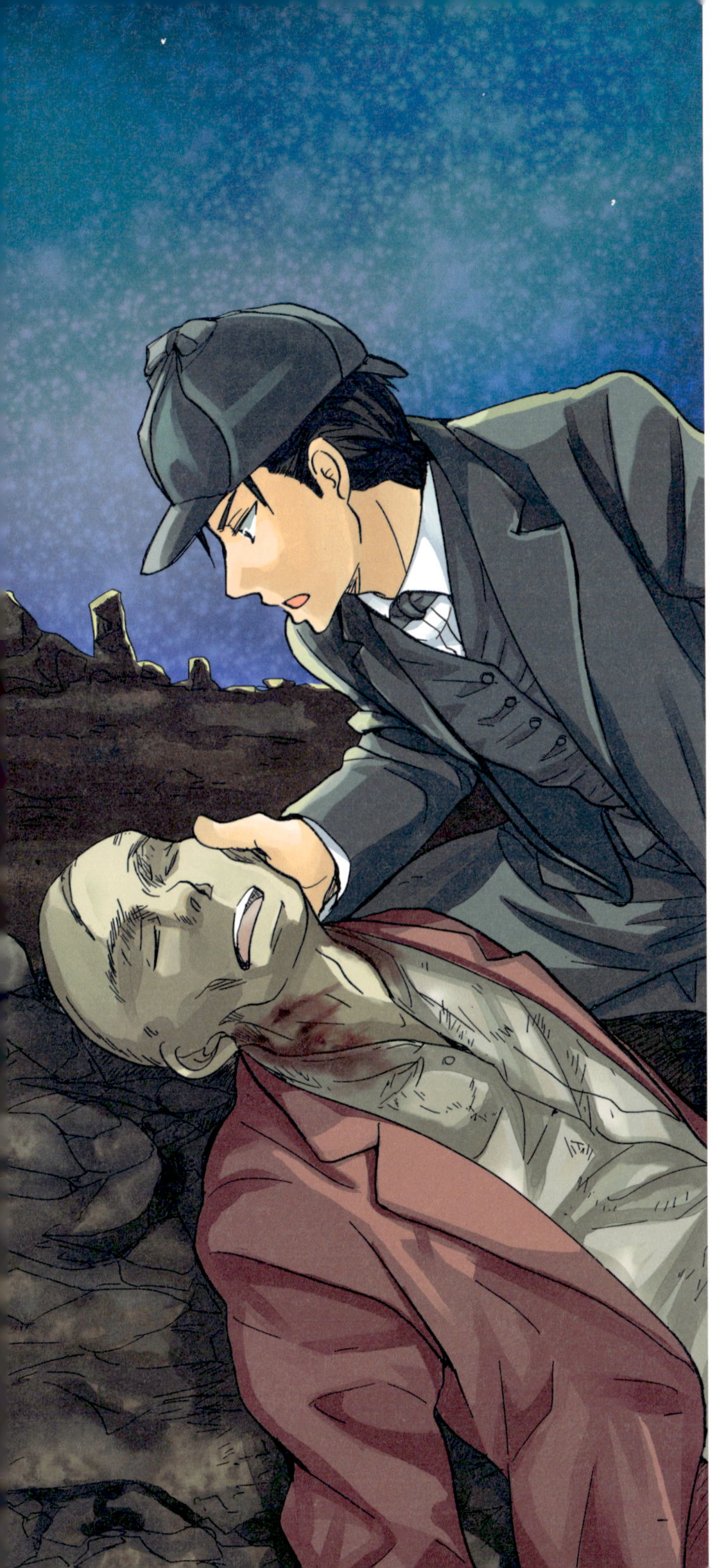

「これは、ヘンリー・バスカビルじゃないよ。　この顔をよく見たまえ。」

いわれて死体の顔をよく見たぼくは、思わずさけびました。

「あっ、これはセルデン！　ろうやぶりの殺人犯セルデンじゃないか。」

「そう、犯人はとんでもない失敗をした。なんでこんなまちがいをしたかといえば……ワトスン、きみはなぜこの死体をヘンリーと思ったんだ？」

「それは、セルデンがヘンリーの服を着てたからで……あっそうか！」

「バリモアはヘンリーのお古の服をセルデンにやった。犯人はそうとも知らず、ヘンリーのにおいがする人間を、犬におそわせたんだ。」

「それで、かれの代わりにセルデンがおそわれてしまったのか。なんということだ。いくら悪いやつでも、あまりにかわいそうすぎる。」

「まったくだ。だが、これでくつどろぼうのなぞが解けた。さいしょにとった茶色のくつは新品で、においがついてなかった。そこで、黒くて古いくつをぬすみなおしたんだ。ヘンリーのにおいを、犬にかがせ

るためにね。」

「じゃあ、犯人があきらめていないかぎりは、ヘンリー・バスカビルが、またねらわれるのは、まちがいないな。で、どうする？」

「心配無用だ、ワトスン。ヘンリーの命はきっと守るし、犯人もつかまえる。でも、そのために、今すぐしなくてはならないことが一つある。」

「それはなんだい？」

「ぼくときみでバスカビル館にもどる。そして、そのあと、すぐにロンドンに帰ることさ。事件をほったらかしにしてね。」

ホームズは、またとんでもないことをいいだしたのでした。

16 ホームズ、作戦を開始する

ぼくとホームズは、夜が明ける前に、バスカビル館にもどりました。

そして、そのよく日、二人でロンドンに帰ると、ヘンリーにいいました。

「えっ、ホームズさん。来たばかりなのに。もう帰られるのですか。しかもワトスンさんもですか。ひどいな、ぼくをこんなところに一人ぼっちにするつもりなんですね。まだ事件は解決してないというのに……。」

ヘンリー・バスカビルは、そのことを知って、ぼくらを引きとめましたが、ホームズの決心はゆらぎません。やがて、かれもあきらめました。

「そうですか。じつは今夜、ステープルトン兄妹が、ぼくやホームズさん

たちをまねいて、夕食会を開くといってきましてね。モーティマー医師や、フランクランド老人もよぶというので、せっかくだから、参加してほしかったのですが……やむをえませんね。」
「ほう、ステープルトンの人たちと、そんなに親しくなられたのですか。そういえば妹のベリルさんは、たいへんな美人だそうで。」
ホームズがいうと、ヘンリー・バスカビルはあわてたようすで、

「あ、いや、たしかに、美しい方ですが……。そのうち、おつきあいを申しこもうかとは思ってはいますが、それもまだ先の話です。」

少し赤くなりながら、そういうので、ぼくはおどろきました。一方、ホームズは何も気づかないようすで、わかれのあいさつをしました。

「申しわけありません。みなさんに、よろしくおつたえください。……ほう、これがバスカビル家代々の、あるじのすがたですか。どれも、見事な絵ですね。ところで、これはだれのしょうぞう画ですか。」

食堂のかべの絵を見回すと、羽根つきの帽子をかぶり、ひたいにまき毛をたらした男の絵を指さし、ヘンリーにいいました。

「これが魔犬ののろいをさいしょに受けたヒューゴーですよ。見るからに悪人の顔では、と思ったら、意外にふつうなのでおどろきました。」

「そうですね。現代にいてもおかしくない顔です。ふうむ……。」

「おい、その絵をそんなに見つめて、それがどうかしたのかい。」

ぼくは、急に考えこんだホームズに、たずねました。

「いや、なんでもない。――ところでヘンリーさん、あなたに、ちょっとアドバイスしたいことがあるのですが、聞いてもらえるでしょうか。」

「はい、それはもちろん。」

「今夜、ステープルトン家をたずねるときは馬車で行くと思いますが、着いたら馬車は帰してほしいのです。そして、帰りは、あれ地を歩いてバスカビル館までもどるつもりだと、みんなにいってください。」

「それはかまいませんが……いいんですか、セルデンがあんなことになったばかりだし、犯人もつかまらないというのに、あれ地を歩いても？」

ヘンリーは、なっとくのいかない顔で、ホームズにききました。
「あなたを心も体も強い人だと見こんで、おねがいします。そうしてもらうことが、事件解決の早道なのです。わかりましたか。……では、ぼくたちはこれで失礼します。どうかお元気で、ヘンリーさん！」
こうしてバスカビル館を出たぼくたちは、馬車で駅に向かいました。すると、そこには、カートライト少年が待っていて、こういったのです。

「先生にたのまれた電報ですが、さっき返事が来ました。これです。」

ホームズが「ご苦労さま」といって受けとった電報用紙には、「ロンドン警視庁・レストレードより」と文字が見えました。レストレードといえば、たくさんの事件をホームズとともにあつかった、ベテラン刑事です。

「かれとれんらくを取ったということは、いよいよ作戦開始かな。」

と、ぼくがいうと、ホームズは、にやっとしながら答えました。

「まあね。ただ、その分、危険も大きい。ああ、カートライトくん、ご苦労だった。きみは次の汽車で先にロンドンに帰りたまえ。」

「えーっ、先生。もう少し協力させてくださいよ。おねがいです。」

そういう少年を、ホームズは「だめだめ」と客車におしこむと、

「じつは、まだ大事な仕事があるんだよ。ロンドンに着いたら、バスカビル館にあてて、ぼくの名で電報を打ってほしいんだ。『たいざい中はお世話になりました。またうかがいます』とかなんとかね。これで、ぼくたちがロンドンに帰ったことをうたがうものは、いなくなる。」

「そういうことなら、わかりました！」

カートライト少年は、今度はすなおにいって、出発しました。

こうしてバスカビルの魔犬事件は、ついに、おどろくべき結末をむかえることになったのでした――。

17
人食い沼と光る怪物

「ずいぶん暗いふんい気の土地ですね、ホームズさん。草木はろくにないし、地面はごつごつしてるし……それに、あそこのきりがかかった場所はなんですか。どうやら大きな池のようだが……。」

ロンドンからダートムーアにかけつけた、レストレード警部が、ホームズにいいました。

「あれは『グリンペンの人食い沼』だよ。何があっても、あちらに行ってはだめだ。それより、今は向こうの明かりに集中してくれたまえ。」

そういって、ホームズが指さした先には、しゃれた建物があり、まど

からは明るい光がもれていました。ときおり、わらい声や食器の音がして、夕食会がにぎやかに開かれているのがわかります。

「どうだいワトスン、みんないるかい？」

ホームズにきかれて、ぼくは岩かげから目をこらしました。

ぼくら三人は今、ステープルトン家から少しはなれた、あれ地の岩かげにひそんでいるのです。

「うん、ジャック・ステープルトンに妹のベリルさん、そのとなりで楽しそうに話をしているのがヘンリー・バスカビルだね。モーティマー医師もいるし、フランクランド老人は、なんだかやたらとしゃべっているみたいだが、だれも聞いてはいないようだな……おやっ？」

「どうかしたかい。」

「ジャック・ステープルトンが席を立って、どこかへ行ったぞ。ベリルさんがヘンリーとの話をさえぎって、兄のあとを追ったが……夕食会にお客をまねいた二人ともいなくなって、どうするつもりだろう。」

と、首をかしげたぼくの横で、レストレード警部がいいました。

「おや、だれか外へ出てきましたよ。あれは、兄のほうのステープルトンだな。庭のすみの小屋まで行って……戸を開けて中をちょっとたしかめたら、またもどってきた。いったい何をしに行ったんだろう。」

それから、ステープルトンはテーブルに着きましたが、妹のベリルは帰ってきません。そのせいか、ヘンリーはワインばかり飲んでいました。

やがて、夕食会が終わりましたが、モーティマー医師とフランクランド老人は、そのままとまっていくようで、ヘンリーだけが出てきました。

「まずいな。きりがこっちへ流れてきた。だが、とにかく行かなければ……かれを一人にしてはいけない。」

ホームズがいい、ぼくたちは行動を開始しました。かれのいうとおり、あたりはミルクをたらしたような、こいきりにつつまれていました。

おたがいのすがたもぼんやりしてきていて、少し先を歩くヘンリー・バスカビルは、まるでかげのようにしか見えませんでした。どうかすると、きりの中にとけて、見失ってしまいそうです。

ぼくたちは、ヘンリーにも、かれをねらっているだれかにも気づかれないように、そっとあとをついていきました。と、そのときです。

パタパタパタパタ……えたいの知れない足音が、そばをかけぬけました。

そのしゅん間、きりをやぶってとびだした真っ黒なかたまり！

ああ、そのおそろしさを、ぼくは一生わすれないことでしょう。

それは巨大な犬でした。この世のものとは思えない黒い犬、まさに魔犬でした。ぼくは、自分の目が信じられませんでした。

目はらんらんとかがやき、口からは火をふきだしそうな、おそろしい

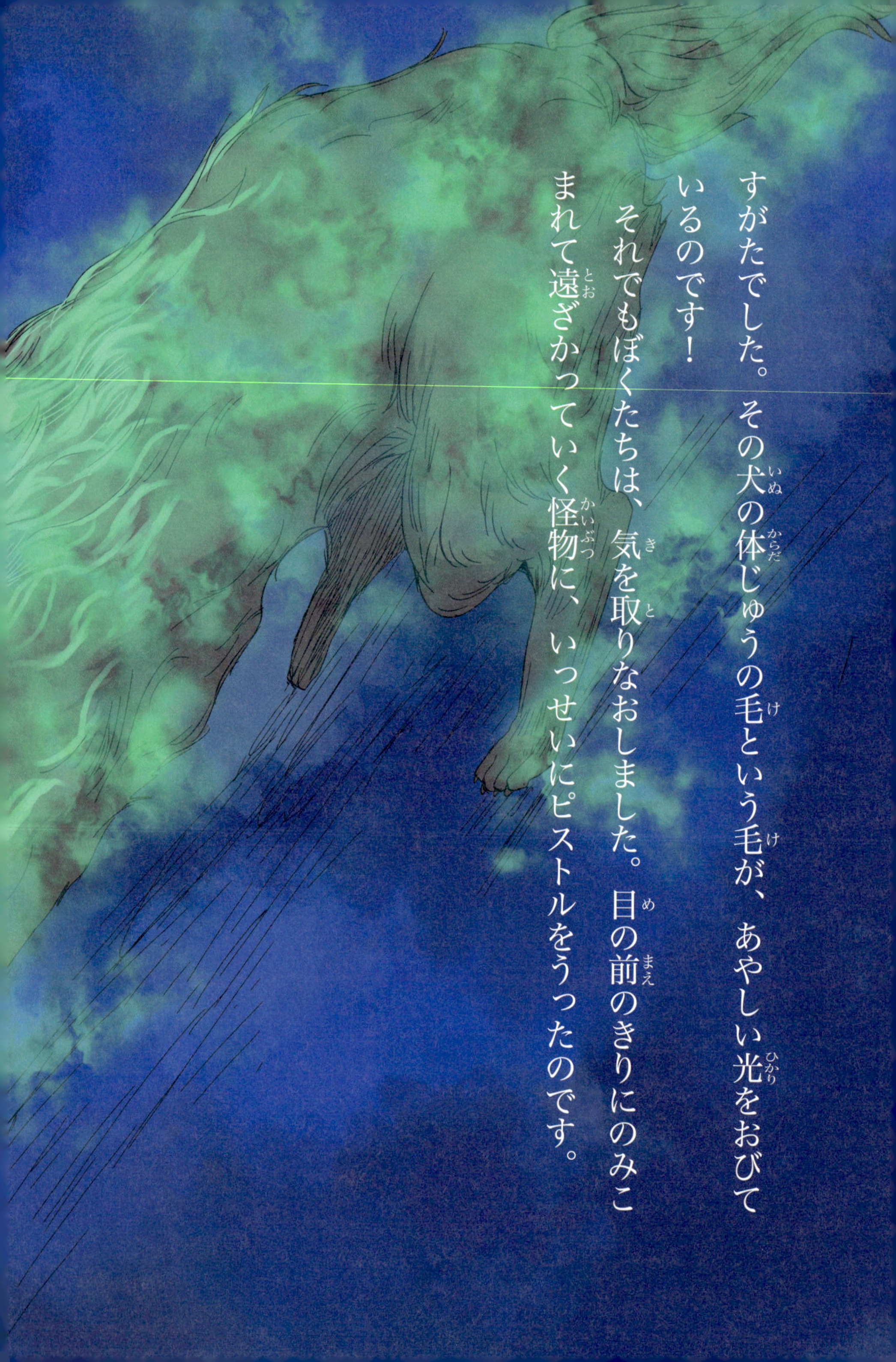

すがたでした。その犬の体じゅうの毛という毛が、あやしい光をおびているのです！

それでもぼくたちは、気を取りなおしました。目の前のきりにのみこまれて遠ざかっていく怪物に、いっせいにピストルをうったのです。

おそろしいけもののほえ声が聞こえましたが、そのいきおいは、やみません。ぼくらは全力で追いかけましたが、追いつけないうちに、

「うわあっ！」

ヘンリー・バスカビルの、すさまじい悲鳴が聞こえました。つづいて、かれがドスンと地面にたおれる音、なおも聞こえるヘンリーのさけびと、それをかきけすガウガウというほえ声――。

すぐそばで起きているであろう、おそろしい出来事をそうぞうしながら、ぼくたちはなおも必死に走りつづけました。

ようやくヘンリー・バスカビルと、その上にのしかかった光る魔犬のすがたが見えたとき、ホームズのピストルが火をふきました。

ギャン！　一声高くさけんだ魔犬は、ドスンと地面に転がり――そし

て、そのまま動かなくなりました。

「ワトスン、かれの手当てを！」

ホームズのするどい言葉に、ぼくはあわててヘンリーのそばにかがみこみました。急いで調べてみましたが、運よくヘンリーは、かすりきず一つ、負ってはいませんでした。

「こ、これは……今の化け物は、いったいなんだったんですか。」

まるで、悪いゆめからさめたように、ヘンリーがつぶやきました。

「安心してください。あなたは助かったし、バスカビルの魔犬は、ほろびました。あとは――それをあやつった人間を逮捕するだけです。」

ホームズが力強くいったとき、レストレード警部がさけびました。

「あ、あんなところに人が！」

見ると、ぼくらから少しはなれて立つ人かげがありました。

「そいつだ、そいつをつかまえろ！」

ホームズの声が、きりをふきとばすように、ひびきます。

とたんに、にげだした人かげを追って、走りだすホームズとレストレード警部。ぼくはヘンリーが心配でしたが、かれが、「大じょうぶです」というので、かれに肩をかして二人のあとにつづきました。

そのとたん、ホームズのあらあらしい声が、耳をつらぬきました。

「止まれ！　そこから先はそこなし沼――『グリンペンの人食い沼』だ！」

ぎょっとして立ちすくむと、レストレード警部が持ってきたランプを、前方に向けました。その光にてらされたのは、一見ふつうの地面のようですが、足をふみいれたが最後、ズブズブしずんでいく、どろ沼でした。

レストレード警部が、さらに先をてらしたとき、おそろしいものが見えました。どろまみれで胸まで沼にしずみながら、必死で腕をつきだす男でした。

「た、すけて……く、れ……死に、たく、ない……。」

弱々しく、そういううちにも、男はゆっくり沼にのみこまれていきます。そのあわれな顔を見るなり、ぼくはさけびました。

「ジャック・ステープルトン！　まさか、きみがあの魔犬を!?」

ぼくはとっさに手をさしのべましたが、ホームズがピシャッとぼくの手をはらいのけ、後ろへ引きもどしました。

「だめだ。もう、だれも、かれを助けられない……ステープルトンことロジャー・バスカビル。チャールズ氏を殺し、今またヘンリー氏を亡き者にしようとした極悪人は、ここにほろんでいくのだ。」

えっ！　とぼくは水面を見つめました。けれど、そこには茶色のあわがブクブクわきあがるばかりで、それも消えてしまったのでした……。

「ちょ、ちょっと待ってください。あのステープルトンがぼくを殺そうとした？　だったら、妹のベリルさんは、どういうことになるんです？　まさか、あの美しい人まで、悪事の仲間だなんてことは……。」

少したってから、ヘンリー・バスカビルが、われにかえったように、いいました。すると、ホームズは気のどくそうに、こう答えたのでした。
「ベリル・ステープルトンは、かれの妹ではありませんよ。結婚前の名はベリル・ガルシア。つまり、二人は夫婦だったのです！」

その後、ステープルトンの家の寝室から、ひどくなぐられたうえに、きつくしばられたベリルが発見されました。
かのじょの口から、兄ではなく夫だったジャック・ステープルトンが、チャールズにつづき、ヘンリーを殺そうとするのを止めようとしたこと、そのせいでジャックにらんぼうされ、部屋にとじこめられていたことが語られたのでした。

18

ふたたびベーカー街にて

221B BAKER STREET

「バスカビル家の血すじをひくものは、南アフリカで成功したチャールズと、親とともにアメリカにわたったヘンリーの二人だけと思われていた。だが、*南アメリカに住んでいたロジャーも親せきの一人で、かれはベリル・ガルシアという美しい女性と結婚したものの、お金にこまって、いろいろと悪いことをしていた。そのロジャーがバスカビル家のあとつぎの話を聞いたから、たまらない。なんとかして、あとをついだチャールズから、財産や土地をのっとろうと考えたんだ……。」

ひさしぶりに帰ってきたベーカー街の部屋で、ぼくは、あのおそろし

い魔犬事件についての、ホームズの推理を聞いていました。

「ロジャーは、まずジャック・ステープルトンと名をかえ、妻のベリルを妹だといつわって、ダートムーアにうつりすんだ。そして、バスカビル家のことについて、いろいろ調べて、大昔の魔犬の伝説が今も信じられていることや、チャールズが心臓の病気をかかえていることを知った。

そこで、ロジャーあらためジャックは、ひそかに巨大な黒い犬を手に入れ、庭の

＊南アメリカ…アメリカ大陸のうち、おもに南部にある地域。

小屋で飼いながら、人をおそうよう訓練した。これをけしかけて、チャールズをおどろかせ、心臓発作を起こさせようとしたのだ。

一方、チャールズは、ふとしたことで、ベリルの元の名字が、ガルシアだということを知った。そして、きょうぼうな性格のジャックに、いつもたたかれてひどい目にあっていることに気づき、相談にのってやるようになった。

そのことを知ったジャックは、ひどくおこったが、ぎゃくにそれを利用することを思いついた。かのじょに『B・G』つまりベリル・ガルシアの頭文字で、さそいの手紙を書かせ、チャールズを夜おそく、散歩道におびきよせた。そうしておいてから、あの犬をおそいかからせたのだ。このときジャックは、よりチャールズをこわがらせるために、犬の毛に、リンという、やみの中でぼうっとうす気味悪く光る薬を、ぬりつけておいた。

いきなり、そんな怪物におそわれたから、たまらない。チャールズは必死でにげ、ついに心臓発作を起こして、死んでしまった。これで、じゃま者はいなくなったとよろこんだが、そううまくはいかなかった。」

「新しいあとつぎとして、ヘンリーが出てきたからだね。」

ぼくがいうと、ホームズは深くうなずきました。

「そうだ。そこでジャックは、こっそりロンドンに来てモーティマー医師のあとをつけた。そして、ヘンリーのいるホテルをつきとめ、きょうはく状を送った。さらに、あとで犬にかがせておそわせるために、くつをぬすんだ。顔を見られてもわからないよう、執事のバリモアそっくりのあごひげをつけるなんてこともしたが、ぼくの目は、ごまかせなかったよ。」

「あれがジャック・ステープルトンの変装だと、すぐわかったのかい。あんな短い間しか、見られなかったのに。」

おどろいてきいたぼくに、ホームズは答えました。

「それもあるが、もっとはっきりした証拠が見つかったんだ。バスカビル館の食堂にかかっていた、ヒューゴー・バスカビルのしょうぞう画をおぼえているかい。これは、ぼくが手に入れたバスカビル家の歴史書だが、このページに、あれと同じしょうぞう画がのっている。この絵の中のヒューゴーから、羽根つきの帽子と、まき毛を取りさってごらん。」

いわれたところを指(ゆび)でかくしてみて、ぼくはあっとさけびました。
「こ、これは、ジャック・ステープルトンにそっくりじゃないか!」

「つまりそういうことさ。バスカビル家とダートムーアをめぐる人たちを調べていたら、あのヒューゴー・バスカビルそっくりの男が、なんの関係もない名を名乗り、博物学者だなんていっているのがわかった。これでおかしいと思わなかったら、そのほうがむしろふしぎだよ。」

ぼくは、いつものことながら、すっかり感心してしまいました。

「なるほどね。きみにかかれば、何もかもお見通しというわけだ。それにしても、おそろしい事件だった。まさかあんな怪物と戦うはめになるなんてね。そして、犯人のあのおそろしい最期ときたら！」

「それより大事なのは、ヘンリー・バスカビルのことだよ。せっかくすきになりかけていた女性が、自分を殺そうとした極悪人の妻だったなんて……。だが、ぼくが見たところでは、なんとか気を取りなおして、バスカビル館とダートムーアを明るく、新しく立てなおしていってくれそうだよ。」

「それはよかった。ということは、これですべて解決というわけだね。」

ぼくがいうと、ホームズはようやく笑顔を見せて、答えました。

「そう。だから今夜くらいは、何もかもわすれて楽しもうじゃないか。ここロンドンには、ゆかいな歌とおもしろいしばいがある。そうだワトスン、これから食事をして、それからオペラ*でも見に行こうよ！」

（おわり）

＊オペラ…音楽に合わせて、歌いながらする劇。

シャーロック・ホームズとともに～「バスカビルの魔犬」

編著・芦辺 拓

全部で六十ある名探偵シャーロック・ホームズの物語のうち、長編小説は四つあります。その中でもっとも人気のあるのが、この「バスカビルの魔犬」です。

それもそのはずで、この物語には探偵小説のおもしろさがつまっています。大昔の魔犬の伝説に始まって、あれ地の館で起きた怪死事件、ロンドンのホテルにあらわれたきみょうな物とり、夜中のあやしいなき声や光、ろうやぶりの殺人犯、人食い沼のきょうふなど、このあといろんな小説に取りいれられるアイデアがそろっています。まさに怪奇と冒険と推理のミックスといったところです。

「ボヘミア王のひみつ」からのホームズ物語を、ずっとのせてきた「ストランド・マガジン」にこの作品が連さいされたのは、「ホームズ最後の事件!?」が世界中の読者にショックをあたえた八年後でした。それだけに読者のよろこびは大きかったのですが、だれもがざんねんに思ったことに、このお話は「最後の事件!?」より、前に起きたということになっていました。つまりホームズがモリアーティー教授との戦いから生きて帰ってきたとは、はっきり書かれなかったのです。

そのことへの不満をのぞけば「バスカビルの魔犬」のひょうばんは大きく、いちだんとホームズ人気を高めることになりました。けっきょくドイルは、「空っぽの家の冒険」を書くことで、読者のねがいをかなえることになります。

この小説は、はじめてシャーロック・ホームズの物語を読むみなさんにも、もう何さつも読んだよという人にも、もっともっとかれの冒険を知りたいなと思わせることでしょう。そうなったら、このシリーズのほかの本や、できたらホームズ以外の探偵たちの物語にも手をのばしてみてください。

では、またべつの本でお会いしましょう。

いつまでもホームズとともに……。

もっと もっと
お話を読みたい子に…

10歳までに読みたい世界名作 シリーズ

ここでも読める! ホームズのお話

名探偵 シャーロック・ホームズ

世界一の名探偵ホームズが、とびぬけた推理力で、だれも解決できないおかしな事件にいどむ！　くりだされるなぞ解きと、犯人との対決がスリル満点。

ISBN978-4-05-204062-7

しばらくしてから、ホームズがたずねました。

「はい……。あまりおかしな死に方だというので、いろいろ調べてくださったのですが、姉の部屋は、まどもドアも内側からかぎがかかって、だれも出入りができませんでしたし、何より、なぜ死んだかが、わからなかったのです。」

「お姉さんは、ねまきを着ておられましたか。それとも起きているときの服でしたか？」

「ねまきを着ていました。手にはマッチのもえさしを持っておりました。」

「ふーむ。ということは、ねていたときに、何かに気づいて、それをたしかめようとしてマッチをつけたんでしょうね。」

ホームズがいいました。そのあとにつづけて、

「お姉さんは、たしかに『まだらのひも』とさけんだのですね。」

「はい。英語で『スペックルド・バンド』と、はっきりと。」

ヘレンがいったとき、ぼくはふと思いついたことがあって、口をはさみました。

10

事件File 01 まだらのひも

ホームズの部屋へ来た女の人が話した、おそろしい出来事。夜中の口笛、決して開かないまど、ふたごの姉が死ぬ前に口にした言葉「まだらのひも」とは何か……!?

事件File 02 六つのナポレオン

あちこちの店や家で、次々にこわされる、安物のナポレオン像。ただのいたずらなのか、それとも何か理由があるのか？　やがて４つ目の像がこわされたときに、悲劇が起こる！

それからしばらくして、ギシギシとかすかな音が聞こえてきました。

（まどを、こじあけているんだな。）

そう考えていると、まどの一つがぼうっと明るくなりました。だれかが家の中に入って、手さげランプをつけたようです。

しばらくして、ランプの光はべつの部屋に移動しました。どうやら、中で何かをさがしているが、なかなか見つからないようすです。

「まどから出てきたところを、つかまえましょう。」

警部がいったとき、男がすがたをあらわしました。何か白いものを、かかえています。

男はまわりを見回したあと、ぼくらにせなかを向けました。そのすきに、ぼくたちは草むらをそっと歩いて、男に近づきました。

ぼくたちが見ているとも知らず、男は白いものを持ちあげると、地面にたたきつけました。

90

ほか
全３作品を
収録

お話がよくわかる！

『物語ナビ』が大人気

カラーイラストで、
登場人物や
お話のことが、
すらすら頭に入ります。

ISBN978-4-05-204190-7

こっちもおもしろい! ルパンのお話

怪盗 アルセーヌ・ルパン

大金持ちから盗みをはたらくが、弱い人は助ける怪盗紳士、アルセーヌ・ルパン。
あざやかなトリックで、次々に世界中の人をびっくりさせる事件を起こす!

ほか全2作品
＋
物語ナビつき

Episode 01 怪盗ルパン対悪魔男爵

古城に住む男爵にとどけられた、盗みの予告状。差出人は、刑務所にいるはずのアルセーヌ・ルパン! ろう屋の中のルパンが、どうやって美術品を盗むというのか!?

プロローグ

その下からあらわれたのは、ぜんぜんちがう黒っぽい色のかみの毛。それどころか、顔つきまでが、すっかりかわっていました。
青年の顔は、ちょっと見たぐらいではわからない自然さで、けしょうがほどこされ、まるで別人に見えるようになっていました。眼の下には、しかけをするなどして、体つきまでかえてあります。けれども、目つきだけは、かえることはできませんでした。そこをガニマール警部に見やぶられてしまったのです。
「わかった、わかりましたよ、ガニマール警部。たしかに、ぼくはアルセーヌ・ルパンです。こうさんしますから、その手をゆるめてくださいよ。」

23

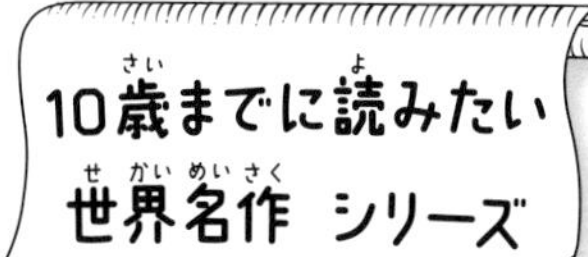

赤毛のアン

トム・ソーヤの冒険

オズのまほうつかい

ガリバー旅行記

若草物語

名探偵シャーロック・ホームズ

小公女セーラ

シートン動物記「オオカミ王ロボ」

アルプスの少女ハイジ

西遊記

ふしぎの国のアリス

怪盗アルセーヌ・ルパン

ひみつの花園

宝島

あしながおじさん

アラビアンナイト シンドバッドの冒険

少女ポリアンナ

ロビンソン・クルーソー

フランダースの犬

岩くつ王

家なき子

三銃士

王子とこじき

海底二万マイル

ナルニア国物語 ライオンと魔女

十五少年漂流記

長くつ下のピッピ

ロスト・ワールド

レ・ミゼラブル ああ無情

三国志

ドリトル先生大航海記

編著 **芦辺 拓**（あしべ　たく）

1958年大阪市生まれ。同志社大学卒業。読売新聞記者を経て『殺人喜劇の13人』で第1回鮎川哲也賞受賞。主に本格ミステリーを執筆し『十三番目の陪審員』『グラン・ギニョール城』『紅楼夢の殺人』『奇譚を売る店』など著作多数。《ネオ少年探偵》シリーズ、《10歳までに読みたい世界名作》シリーズ6巻『名探偵シャーロック・ホームズ』、12巻『怪盗アルセーヌ・ルパン』、24巻『海底二万マイル』（以上、Gakken）など、ジュヴナイルやアンソロジー編纂・編訳も手がける。

絵 **城咲 綾**（しろさき　あや）

漫画家、イラストレーター。主な作品に《マンガジュニア名作》シリーズ『トム・ソーヤーの冒険』、《マンガ百人一首物語》シリーズ、『10歳までに読みたい世界名作6巻 名探偵シャーロック・ホームズ』（以上Gakken）、イラストに『コミックスララ』（タカラトミー）など。

原作者

コナン・ドイル

1859年生まれの、イギリスを代表する推理小説家。1891年に雑誌『ストランド・マガジン』でホームズの連さいを始め、以後全60作品を書きあげた。世界一有名な名探偵、シャーロック・ホームズの生みの親。

10歳までに読みたい名作ミステリー

名探偵シャーロック・ホームズ

バスカビルの魔犬

2017年 3月14日　第1刷発行

2024年11月 7日　第10刷発行

原作／コナン・ドイル

編著／芦辺 拓

絵／城咲 綾

デザイン／佐藤友美・藤井絵梨佳（株式会社昭通）

発行人／土屋 徹

編集人／芳賀靖彦

企画編集／石尾圭一郎　松山明代

編集協力／勝家順子　上埜真紀子

ＤＴＰ／株式会社アド・クレール

発行所／株式会社Gakken

〒141-8416 東京都品川区西五反田2-11-8

印刷所／株式会社広済堂ネクスト

この本に関する各種お問い合わせ先

●本の内容については、下記サイトのお問い合わせフォームよりお願いします。

https://www.corp-gakken.co.jp/contact/

●在庫については　Tel 03-6431-1197（販売部）

●不良品（落丁、乱丁）については　Tel 0570-000577

学研業務センター

〒354-0045 埼玉県入間郡三芳町上富279-1

●上記以外のお問い合わせは

Tel 0570-056-710（学研グループ総合案内）

NDC900　170P　21cm

物語を読んで、
想像のつばさを
大きく羽ばたかせよう！
読書の幅を
どんどん広げよう！

シリーズキャラクター

「名作くん」

暗号クイズ

ホームズからみんなに、
暗号の問題だよ

下に入るのは英語で「また会いましょう」という意味の言葉なんだけど、それはなにかな？
空いている所をうめて、
言葉を完成させよう。

発売されているホームズ-①、ホームズ-②、ホームズ-③、ホームズ-④にも、ヒントがかいてあるよ。ちょうせんしたまえ。

? ? ? ? ? ? イ ン